总主编 单墫 熊斌

奥数教程
学习手册

·配《奥数教程》第五版·

华东师范大学出版社

二年级

熊　斌　胡大同
周洁婴　王　华
励　薇　　　编著

图书在版编目(CIP)数据

奥数教程(第五版)学习手册.二年级/熊斌,胡大同,周洁婴,王华,励薇编著.—上海：华东师范大学出版社,2010.4
ISBN 978‐7‐5617‐7668‐1

Ⅰ.奥… Ⅱ.①熊…②胡…③周…④王…⑤励… Ⅲ.①数学课‐小学‐教学参考资料 Ⅳ.G624.503

中国版本图书馆 CIP 数据核字(2010)第 067011 号

奥数教程（第五版）学习手册

二年级

总 主 编	单 墫　熊 斌
编　　著	熊 斌　胡大同　周洁婴　王 华　励 薇
策划组稿	倪 明　孔令志
审读编辑	严小敏
封面设计	高 山
版式设计	蒋 克

出版发行　华东师范大学出版社
社　　址　上海市中山北路 3663 号　邮编 200062
电话总机　021‐62450163 转各部门　行政传真 021‐62572105
客服电话　021‐62865537(兼传真)
门市(邮购)电话　021‐62869887
门市地址　上海市中山北路 3663 号华东师范大学校内先锋路口
网　　址　www. ecnupress. com. cn

印刷者　常熟文化印刷有限公司
开　本　890×1240　32 开
印　张　3.25
字　数　75 千字
版　次　2010 年 6 月第一版
印　次　2013 年 7 月第七次
书　号　ISBN 978‐7‐5617‐7668‐1/G·4437
定　价　8.00 元

出版人　朱杰人

(如发现本版图书有印订质量问题,请寄回本社客服中心调换或电话 021‐62865537 联系)

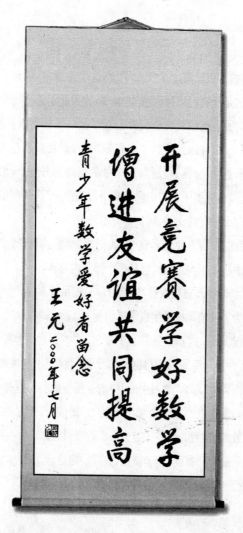

开展竞赛学好数学
增进友谊共同提高

青少年数学爱好者留念

王元 二〇〇〇年七月

著名数学家、中国科学院院士、原中国数学奥
林匹克委员会主席王元先生致青少年数学爱好者

致 读 者

  《奥数教程》的出版已有十个年头了. 在这个过程中,包含了作者和编辑的辛勤劳作,更多的是让我们感到欣慰. 这套书,曾荣获了第十届全国教育图书展的优秀畅销书奖;香港现代教育研究社出版了她的繁体字版和网络版,并成为香港的畅销图书之一,并因此获得了版权输出奖;据北京开卷图书市场研究所的监控销售数据,近几年《奥数教程》的销量名列同类书前茅,尤其是初一和高一分册分别获得数学竞赛图书初中段和高中段的第一. 这些成绩的取得与作者们精到的创作,广大读者的支持、呵护是分不开的.

  应广大读者的要求,方便读者自学,我们为《奥数教程》每个年级配套出版了相应的"学习手册". "学习手册"包括两个部分内容:

  (1) 习题详细解答.《奥数教程》中的习题只提供答案,而"学习手册"中提供了详细的解答,为家长辅导或学生自学提供便利.

  (2) 竞赛热点精讲. 这部分分若干个专题,这些专题均为有关竞赛的热点. 每一专题提供了一批典型题,并有详解. 如果说"教程"中的讲解是帮你学习方法,习题作为巩固训练,那么"学习手册"中的这部分内容可让你读题,阅读是很重要的学习方法,阅读能力是重要的学习能力. 阅读,打开你的思路,开阔你的眼界. 一个个巧妙的、精到的解答一定会深深地吸引着你.

  如果"学习手册"与"教程"配套使用,收效一定更佳.

  我们衷心祝愿《奥数教程》永远成为您的好朋友.

华东师范大学出版社

前　言

据说在很多国家,特别是美国,孩子们害怕数学,把数学作为"不受欢迎的学科".但在中国,情况很不相同,很多少年儿童喜爱数学,数学成绩也都很好.的确,数学是中国人擅长的学科,如果在美国的中小学,你见到几个中国学生,那么全班数学的前几名就非他们莫属.

在数(shǔ)数(shù)阶段,中国儿童就显出优势.

中国人能用一只手表示1～10,而很多国家非用两只手不可.

中国人早就有位数的概念,而且采用最方便的十进制(不少国家至今还有12进制,60进制的残余).

中国文字都是单音节,易于背诵,例如乘法表,学生很快就能掌握,再"傻"的人也都知道"不管三七二十一".但外国人,一学乘法,头就大了.不信,请你用英语背一下乘法表,真是佶屈聱牙,难以成诵.

圆周率 π＝3.141 59….背到小数后五位,中国人花一两分钟就够了.可是俄国人为了背这几个数字,专门写了一首诗,第一句三个单词,第二句一个……要背 π 先背诗,这在我们看来简直是自找麻烦,可他们还作为记忆的妙法.

四则运算应用题及其算术解法,也是中国数学的一大特色.从很古的时候开始,中国人就编了很多应用题,或联系实际,或饶有兴趣,解法简洁优雅,机敏而又多种多样,有助于提高学生的学习兴趣,启迪学生智慧.例如:

"一百个和尚一百个馒头,大和尚一个人吃三个,小和尚三个人吃一个,问有几个大和尚,几个小和尚?"

外国人多半只会列方程解.中国却有多种算术解法,如将每个大和尚"变"成9个小和尚,100 个馒头表明小和尚是 300 个,多出 200 个和尚,是由于每个大和尚变小和尚,多变出 8 个,从而200÷8＝25 即是大和尚人数.小和尚自然是75 人,或将一个大和尚与 3 个小和尚编成一组,平均每人吃一个馒头.恰好与总体的平均数相等.所以大和尚与小和尚这样编组后不多不少,即大和尚是 100÷(3＋1)＝25 人.

中国人善于计算,尤其善于心算.古代还有人会用手指计算(所谓"掐指一算").同时,中国很早就有计算的器械,如算筹、算盘.后者可以说是计算机的雏形.

在数学的入门阶段——算术的学习中,我国的优势显然,所以数学往往是我国聪明的孩子喜爱的学科.

几何推理,在我国古代并不发达(但关于几何图形的计算,我国有不少论著),比希腊人稍逊一筹.但是,中国人善于向别人学习.目前我国中学生的几何水平,在世界上遥遥领先.曾有一个外国教育代表团来到我国一个初中班,他们认为所教的几何内容太深,学生不可能接受,但听课之后,不得不承认这些内容中国的学生不但能够理解,而且掌握得很好.

我国数学教育成绩显著.在国际数学竞赛中,我国选手获得众多奖牌,就是最有力的证明.从1986年我国正式派队参加国际数学奥林匹克以来,中国队已经获得了14次团体冠军,可谓是成绩骄人.当代著名数学家陈省身先生曾对此特别赞赏.他说:"今年一件值得庆祝的事,是中国在国际数学竞赛中获得第一……去年也是第一名."(陈省身1990年10月在台湾成功大学的讲演"怎样把中国建为数学大国")

陈省身先生还预言:"中国将在21世纪成为数学大国."

成为数学大国,当然不是一件容易的事,不可能一蹴而就,它需要坚持不懈的努力.我们编写这套丛书,目的就是:(1)进一步普及数学知识,使数学为更多的青少年喜爱,帮助他们取得好的成绩;(2)使喜爱数学的同学得到更好的发展,通过这套丛书,学到更多的知识和方法.

"天下大事,必作于细."我们希望,而且相信,这套丛书的出版,在使我国成为数学大国的努力中,能起到一点作用.本丛书初版于2000年,现根据课程改革的要求对各册再作不同程度的修订.

著名数学家、中国科学院院士、原中国数学奥林匹克委员会主席王元先生担任本丛书顾问,并为青少年数学爱好者题词,我们表示衷心的感谢.还要感谢华东师大出版社及倪明、孔令志先生,没有他们,这套丛书不会是现在这个样子.

单 墫 熊 斌

2010年5月

目　录

习题详细解答

竞赛热点精讲

第 1 讲

加减法中的简便运算

随堂练习

1 (1) $98+113$
$=100+113-2$
$=213-2$
$=211$

(2) $109+98+3$
$=110+100+3-1-2$
$=110+100$
$=210$

2 $329+67+233+271$
$=(329+271)+(67+233)$
$=600+300$
$=900$

3 (1) $562-205$
$=562-200-5$
$=362-5$
$=357$

(2) $624-96$
$=624-100+4$
$=524+4$
$=528$

4 (1) $521-173-127$
$=521-(173+127)$
$=521-300$
$=221$

(2) $237-(29+137)$
$=237-29-137$
$=237-137-29$
$=100-29$
$=71$

5 $72+70+75+74+67+66$
$=(70+2)+70+(70+5)+(70+4)+(70-3)+(70-4)$
$=70\times6+(2+5+4-3-4)$
$=420+4$
$=424$

6 $1000-76-24-64-36-55-45$

$=1000-[(76+24)+(64+36)+(55+45)]$

$=1000-[100+100+100]$

$=1000-300$

$=700$

练习题

1 (1) $597+27$

$=600+27-3$

$=627-3$

$=624$

(2) $751+3009$

$=751+3000+9$

$=3751+9$

$=3760$

2 (1) $19+199+1999$

$=20+200+2000-3$

$=2220-3$

$=2217$

(2) $203+33+6003$

$=200+30+6000+9$

$=6230+9$

$=6239$

3 (1) $89+667+233+911$

$=(89+911)+(667+233)$

$=1000+900$

$=1900$

(2) $89+123+567+377+511+233$

$=(89+511)+(123+377)+(567+233)$

$=600+500+800$

$=1900$

4 (1) $423-97$

$=423-100+3$

$=323+3$

$=326$

(2) $781-207$

$=781-200-7$

$=581-7$

$=574$

5 (1) $635-426-174$

$=635-(426+174)$

$=635-600$

$=35$

(2) $558-(229+258)$

$=558-229-258$

$=558-258-229$

$=300-229$

$=71$

6 $203+200+198+205+196$

$=(200+3)+200+(200-2)+(200+5)+(200-4)$

$=200\times5+(3-2+5-4)$

$=1000+2$

$=1002$

7 $821-68-32-81-19-23-77-44-56$

$=821-[(68+32)+(81+19)+(23+77)+(44+56)]$

$=821-(100+100+100+100)$

$=821-400$

$=421$

8 $393+4992+1995+294+98$

$=(400-7)+(5000-8)+(2000-5)+(300-6)+(100-2)$

$=400+5000+2000+300+100-7-8-5-6-2$

$=(400+5000+2000+300+100)-(7+8+5+6+2)$

$=7800-28$

$=7772$

9 (1) $879+(263-379)-663$

$=879+263-379-663$

$=879-379-663+263$

$=(879-379)-(663-263)$

$=500-400$

$=100$

(2) $602-593+494-398$

$=(600+2)-(600-7)+(500-6)-(400-2)$

$=600+2-600+7+500-6-400+2$

$=(600-600+500-400)+(2+7-6+2)$

$=100+5$

$=105$

10 $2222200000-22222$

$=2222000000+200000-22222$

$=2222000000+(200000-22222)$

$=2222000000+177778$

$=2222177778$

11 $5371860000000-537186$

$=5371800000000+60000000-537186$

$=5371800000000+(60000000-537186)$

$=5371800000000+59462814$

$=5371859462814$

12 $20+19-18-17+16+15-14-13+12+11-10-9+8+7-6-5+4+3-2-1$

$=(20-18)+(19-17)+(16-14)+(15-13)+(12-10)+(11-9)+(8-6)+(7-5)+(4-2)+(3-1)$

$=2+2+2+2+2+2+2+2+2+2$

$=20$

第 2 讲

用加减法关系来求未知数

随堂练习

1 (1) $x+38=51$
　　　　$x=51-38$
　　　　$x=13$

(2) $45+x=62$
　　　$x=62-45$
　　　$x=17$

2 设要求的数为 x.

$$x+49=71$$
$$x=71-49$$
$$x=22$$

3 (1) $x-29=43$
　　　　$x=43+29$
　　　　$x=72$

(2) $64-x=48$
　　　$x=64-48$
　　　$x=16$

4 设要求的数为 x.

$$x-42=33$$
$$x=33+42$$
$$x=75$$

5 设一支圆珠笔 x 元.

$$15+x=22$$
$$x=22-15$$
$$x=7$$

答：一支圆珠笔 7 元.

6 设同学们借去了 x 本.

$$50-x=23$$
$$x=50-23$$
$$x=27$$

答：借去了 27 本.

练习题

1 和 一 另一个加数 被减数 差 减数 减法 加法

2 (1) × (2) × (3) ✓

3 (1) A (2) A

4 (1) $x+15=34$ (2) $32+x=71$
      $x=34-15$ $x=71-32$
      $x=19$ $x=39$

5 (1) $x-43=51$ (2) $80-x=69$
      $x=51+43$ $x=80-69$
      $x=94$ $x=11$

6 (1) 设要求的数为 x.

$$16+x=49$$
$$x=49-16$$
$$x=33$$

(2) 设被减数是 x.

$$x-63=55$$
$$x=55+63$$
$$x=118$$

(3) 设减数是 x.

$$80-x=28$$
$$x=80-28$$
$$x=52$$

7

加数	53	53	86	9	17	38
加数	28	26	57	63	71	27
和	81	79	143	72	88	65

8

被减数	53	79	86	135	88	92
减数	28	26	57	63	71	27
差	25	53	29	72	17	65

9 设参加竖笛班的有 x 人.

$$24+x=60$$
$$x=60-24$$
$$x=36$$

答:参加竖笛班的有 36 人.

10 设小武读了 x 页.

$$64-x=38$$
$$x=64-38$$
$$x=26$$

答:小武读了 26 页.

11 设航模小组有 x 人.

$$x-18=6$$
$$x=6+18$$
$$x=24$$

答:航模小组有 24 人.

12 设学校买来 x 盒粉笔.

$$x-32=166$$
$$x=166+32$$
$$x=198$$

答:学校买来 198 盒粉笔.

第 **3** 讲

火柴棒游戏

随堂练习

1 将加号中的一根火柴棒移至 2 前,组成 $12-11=1$,即

$$2+11=1 \Rightarrow 12-11=1$$

2 有两种方法:

(1) $4+7-1=8 \Rightarrow 4+7-11=0$

(2) $4+7-1=8 \Rightarrow 4+7-1=10$

3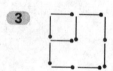

4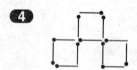

5 有两种方法:

(1) $10-3-2=5 \Rightarrow 10-3+2=9$

(2) $10-3-2=5 \Rightarrow 8-3-2=3$

6 将第 1 个加号后的 1 移至第一个加号上,使加号变成 4,即

$$|| + | + | - ||| = 4 \Rightarrow ||4 + | - ||| = 4$$

1 将右端的 8 的中间一根火柴棒拿走放到左端的 5 上,使它变成 9,正确式子为

$$2| + 39 = 60$$

2 (1) 可在右边 77 中十位数上的 7 拿掉一根火柴棒并将减法变成加法,这样两边就变成一样的式子了.

$$|7 + 7 = 17 + 7$$

(2) 还可以从左边的"+"号中拿去一根火柴棒,并将这根火柴棒移到左边的 17 上变成 77.

$$77 - 7 = 77 - 7$$

3 如果这 4 个正三角形没有公共边,则共需 12 根火柴棒,这说明必有公共边,因为 $12 - 9 = 3$,因此,在拼图中应有 3 根公共边.它可以拼出多种形状,我们的做法是先拼第一个三角形,它要用去 3 根火柴棒,然后,再用已拼成的三角形中的一条边作为公共边,只需用 2 根就可以再拼出一个三角形(用去 5 根火柴棒)了,如此继续作下去,每次都利用一条已拼三角形的边作公共边,只需用 2 根火柴棒就可产生一个新的三角形,如此下去……图①、图②是其中的两种拼法.

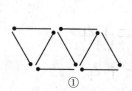

①

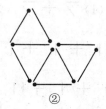

②

第 3 题

4 有 9 个完全一样的小三角形, 还包括 3 个中等大的和一个最大的三角形(请同学们自己找一找), 去掉 3 根火柴棒后要余下 7 个完全一样的三角形, 当然, 这 7 个三角形只能是小三角形, 而且由于去掉 3 根火柴棒, 要减少 2 个小三角形, 因此拿掉的 3 条边不能是公共边, 而且还必须有一个小三角形需拿掉 2 条边后才"消失", 经此分析, 就得到了如图的解法. (当然, 还可以有其他类似的解法)

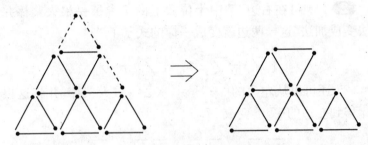

5 (1) 将 37 中 7 上面的一根火柴棒移到"一"号处, 使减号变为"+"号, 即

$$51-37=82 \Rightarrow 51+31=82$$

(2) 将左边的"+"号拿走一根火柴棒变"一"号, 并将它加到左边的 3 上, 使它变成 9, 即

$$92-62=30$$

6 (1) $7+7=14$

(2) $11+1+1+1=14$

或 $1+1+11+1=14$

7 最少可以拼成 4 个大小相同的正方形, 即

最多可以拼成 5 个大小相同的正方形,即

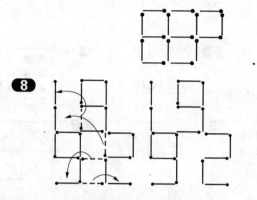

9 从左下角圆圈中移 1 根火柴棒到左边中间的圆圈中去,如图①;或从右下角圆圈中移 1 根火柴棒到右边中间的圆圈中,如图②.

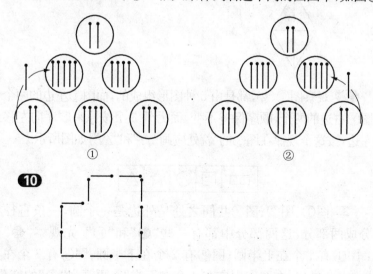

第4讲

接着画下去

随堂练习

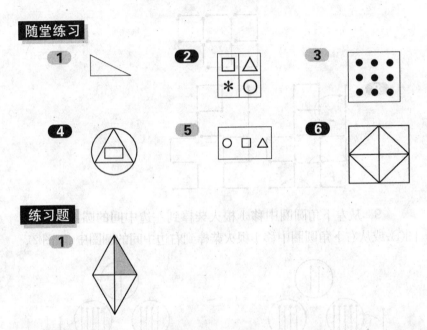

练习题

2 观察图①、②,都是由5种图形组成的,而图①左边的两个变成图②右边的两个,顺序保持不变,而另外3个按原来顺序向左移到最左边,按这个规律在图③的"?"处应画"☆"和"△",如图所示.

3 图①、图②、图③共同之处是外边是一个圆,一条直径将圆分成两部分,这两部分中都有一些"●"和"○". 先观察"●"变化:图①有1个在上半圆;图②有2个在下半圆;图③有3个在上半圆,由此推出,在图④中应有4个在下半圆. 再观察"○"的变化:

图①有 1 个在下半圆;图②有 3 个在上半圆;图③有 5 个在下半圆.由此推出,在图④中应有 7 个在上半圆,如图所示.

④ 观察图①、图②、图③、图⑤、图⑥可知,这是圆内一个 90° 的扇形按顺时针方向每次转动 90° 所在位置的图形,因此图④的扇形应在左下角,从图⑤开始到图⑧,又重复原来图①~图④的位置,图⑨的位置同图①,图⑩的位置同图②,所以图④、图⑩的图形如图所示.

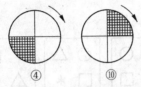

⑤ 观察图①、图②、图③可知,每幅图中 4 个图形呈顺时针方向变换位置. 其中 ▼ 在变换位置的同时,呈顺时针方向旋转 90°,▲ 每变换一次位置,上下翻动一次.所以图④应为

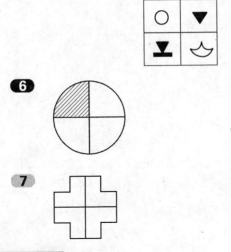

8 规律是：

(1) 1白2黑3白4黑5白6黑……

7白　8黑

(2) 1黑5白2黑4白3黑3白……

4黑　2白　5黑　1白

9 规律是：先左右交换，再上下交换．所以每四幅图为一轮变化．所以⑤号图和①号图相同，⑩号图与②号图相同，⑫号图与④号图相同，具体为：

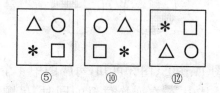

⑤　　　　　⑩　　　　　⑫

第**5**讲

比 比 长 短

1 ①号线有 4 枚回形针,②号线有 3 枚回形针,③号线有 4 枚回形针,所以②号线最短.

2 因为图中每格大小相同,①号线占了 8 格的长度,②号线占了 12 格的长度,③号线占了 10 格的长度,所以②号线最长,①号线最短.

3 经观察与计算,大猴共跑了 16 段边长及 3 条对角线,小猴共跑了 17 段边长及 2 条对角线,因为大猴比小猴多跑(1 条对角线-1 段边长)的长度,所以小猴先吃到梨.

4 ①号线路最长.

练习题

1 经观察与计算正方形小方格的边数,小明家到学校要走 9 条边,小强家到学校要走 10 条边,所以,小明家离学校近.

2 因为白猫、黑猫跑的速度相同,经观察与计算:白猫跑了 5 条小长方格的长和 2 条小长方格的宽,即

$$5 \times 4 + 2 \times 2 = 20 + 4 = 24(\text{米}),$$

黑猫跑了 5 条小长方格的长和 4 条小长方格的宽,即

$$5 \times 4 + 4 \times 2 = 20 + 8 = 28(\text{米}),$$

白猫跑的距离短,所以白猫先捉到老鼠.

3 如图所示,有两条路可走,靠右边的那条路更近些.

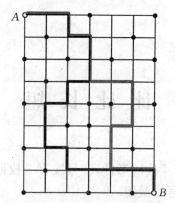

4 经观察与计算，最上面一根绳子的长度＝3条正方形的边长＋5条正方形的对角线＋1条长方形的对角线；中间一根绳子的长度＝6条正方形的边长＋5条正方形的对角线＋1条长方形的对角线；最下面一根绳子的长度＝6条正方形的边长＋6条正方形的对角线＋1条长方形的对角线．比较可知，从上至下，三根绳子的编号依次是③②①．

5 丁先拿到皮球．

6 因为三根黑带子同样长，因此最长的彩带是②号．

7 从图上看出小正方形每一条边相等，小明一共走了13段，小华一共走了14段，小刚一共走了15段，所以是小明先拿到红旗．

8 经观察与计算，小明走了9条正方形的边长和2条正方形的对角线，小红走了10条正方形的边长和2条正方形的对角线，所以小明先到．

第 6 讲

图形的剪拼

1

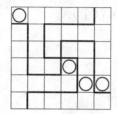

2

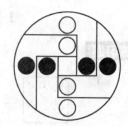

3

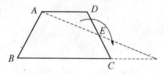

注：E 为 DC 的中点

或

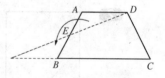

注：E 为 AB 的中点

4

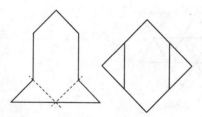

5

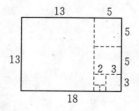

第一次剪边长是 13 厘米的正方形,剩下长 13 厘米、宽 5 厘米的长方形;第二次剪 2 个边长是 5 厘米的正方形,剩下长 5 厘米、宽 3 厘米的长方形;第三次剪边长是 3 厘米的正方形,剩下长 3 厘米、宽 2 厘米的长方形;第四次剪边长是 2 厘米的正方形,剩下长 2 厘米、宽 1 厘米的长方形;第五次剪边长是 1 厘米的正方形共 2 个,正好分完,没有剩余.

所以,至少可以剪成面积大小不同的正方形

$$1＋2＋1＋1＋2＝7(个).$$

练习题

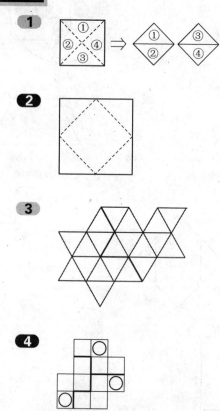

5

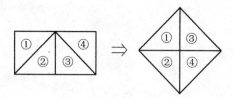

6

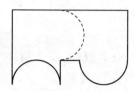

7

8

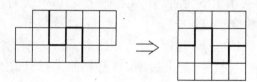

9 至少可以剪成 6 块边长为 10 厘米的正方形.

10

第 *7* 讲

数 学 趣 题 (一)

1 因为 1 只猫 4 天可以捉 1 只老鼠,所以 1 只猫 20 天可以捉 5 只老鼠,20 只猫 20 天就可以捉 100 只老鼠.

2 由于一个平底锅能同时放两块饼,所以同时煎两块饼只需要 4 分钟. 前 2008 块饼,每 2 块需要 4 分钟,一共需要 2008÷2=1004(个)4 分钟. 最后 3 块饼可以先煎①号饼的正面和②号饼的正面,需要 2 分钟;再煎①号饼的反面和③号饼的正面,也需要 2 分钟;最后煎②号饼的反面和③号饼的反面,需要 2 分钟,这样最后 3 块饼一共用了 6 分钟. 1004×4+6=4022(分钟),煎 2011 块饼最少需要 4022 分钟.

3 第一次:把鸡带过河,自己划回来;第二次:把狗带过河,把鸡带回来;第三次:把菜带过河,自己划回来;第四次:把鸡过河.

4 88+88+8+8+8=200.

5 顺序为丁、丙、甲、乙.

四人看病时间是:1+2+3+4=10(分钟).

四人等候时间是:1×3+2×2+3=10(分钟).

10+10=20(分钟),最少是 20 分钟.

练习题

1 由于每天长大一倍,30 天能长到 20 厘米,所以 29 天能长到 10 厘米,28 天能长到 5 厘米.

2 由于 1 只猫吃 1 条鱼需要 3 分钟,所以 100 只猫同时吃 100 条鱼也只需要 3 分钟.

3 小巧喝了 1 杯牛奶、1 杯水.

4 分三次煎,第 1 次煎①号饼的正面和②号饼的正面,需要 2 分钟;第 2 次煎③号饼的正面和①、②号饼的反面,也需要 2 分钟;最后煎③号饼的反面,只需要 1 分钟. 2＋2＋1＝5(分钟),煎 3 块饼最少需要 5 分钟.

5 第一次:两个小和尚一起过河,让一个小和尚把船划回来;第二次:大和尚独自一人过河,让另一个小和尚把船划回来;第三次:两个小和尚一起过河.

6 猎人先带 2 只兔子过河,再驾船返回,带 2 只狗过河并将 2 只兔子带回,再将岸边的剩下的 1 只狗带过河,兔子留在岸上,然后驾船返回将兔子带过河.

7 先依次放上①～④号饼,烙 2 分钟后拿下③号和④号饼,放上⑤号和⑥号饼,同时将①号和②号饼翻过来;这样烙 1 分钟后,①号和②号饼已经烙好,取下,将③号和④号饼换上,继续烙 1 分钟,这时,③号和④号也烙好了;最后把⑤号和⑥号同时翻过来,再烙 1 分钟,全部完成. 这样最少要用 2＋2＋1＝5(分钟).

8 这个四位数是 6947.

9 最少要 2＋1＋6＋2＋2＝13(分钟).

第 *8* 讲

数 学 趣 题（二）

1 注意 0：任何数与 0 相加仍等于这个数本身；任何数乘以 0 都等于 0. 所以 $0+1+2+3+4+5+6+7+8+9=45$，$0×1×2×3×4×5×6×7×8×9=0$，一定是和比积大.

2 C 在前两天分别与 A、D 比赛，只差与 B 的一场未赛，所以第三天 B 与 C 比赛.

3 一本描红簿的价格是数学簿的 2 倍，所以把买描红簿的钱用来买数学簿，同样多的钱买到的数学簿本数应该是描红簿的 2 倍，正好与题意相符，所以两人花的钱一样多.

4 将 10 升油分三次注入 3 升瓶，前两次注满 3 升瓶后都倒入 7 升瓶内，这时大瓶内只留 1 升，7 升瓶内有 6 升，3 升瓶内有 3 升油；再将 3 升瓶内的油倒满 7 升瓶后，又把 7 升瓶的油注入 10 升瓶，此时，10 升瓶内有 8 升，3 升瓶内剩 2 升，而 7 升瓶是空瓶；最后将 3 升瓶内的 2 升油注入 7 升瓶，又从 10 升瓶内倒出 3 升油到 3 升瓶，3 升瓶的油再注入 7 升瓶，那么 7 升瓶和 10 升瓶内就各有 5 升油了.

用表格表示如下：

操作顺序	10 升瓶	7 升瓶	3 升瓶
开始	10	0	0
1	7	0	3
2	7	3	0

操作顺序	10升瓶	7升瓶	3升瓶
3	4	3	3
4	4	6	0
5	1	6	3
6	1	7	2
7	8	0	2
8	8	2	0
9	5	2	3
10	5	5	0

5 按照卖葱人的说法,鱼头每千克2元,鱼身每千克8元,合起来是10元,但这样合起来后是2千克卖10元,不再是1千克卖10元,所以卖鱼的人是赔了钱.

练习题

1 $100÷2=50(人)$,$50÷2=25(人)$,

$$50×1+25×2+25×0=100(只).$$

这100名妇女一共戴有100只耳环.

2 妹妹的年龄最小,她是每一个男孩的妹妹,所以全家一共有$2+3+1=6(人)$.

3 这家商店卖的是刻有"五、十、百、千、万"等字的字模,一个字标价1元,那么"一百万"是3个字,标价是3元.

4 一年中有12天两国的日期写法相同:一月一日 1/1,二月二日 2/2,三月三日 3/3,四月四日 4/4,五月五日 5/5,六月六日 6/6,七月七日 7/7,八月八日 8/8,九月九日 9/9,十月十日 10/10,十一月十一日 11/11,十二月十二日 12/12.

5 这两个数就是 23 和 19,因为它们的和比 19 大 23,又比 23 大 19.

6 列表:

车站	1	2	3	4	5	6	7	8	9	10
上车(人)	9	8	7	6	5	4	3	2	1	0
下车(人)	0	1	2	3	4	5	6	7	8	9
座位	9	16	21	24	25	24	21	16	9	0

这辆车上至少应有25个座位.

7

学生 \ 盒子	满的	半满的	空的	合计
第一个学生	3	1	3	3盒半铅笔
第二个学生	3	1	3	3盒半铅笔
第三个学生	1	5	1	3盒半铅笔

8 $4 \times 5 - 4 = 16$(棵).

第 **9** 讲

两步运算应用题

随堂练习

1 最多：$6×3+2=20$(颗)；最少：$6×1+2=8$(颗).

2 $23-16=7$(箱)，比原来多 7 箱.

3 $(9+12)÷3=7$(个).

4 $(14-8)×2=12$(千克)……糖的重量；

$14-12=2$(千克)……盒子的重量.

5 $46÷2=23$，$(23-5)÷2=9$……甲的岁数.

练习题

1 原来轿车比卡车多 12 辆，轿车开走 6 辆后，轿车只比卡车多 $12-6=6$(辆)了；后来卡车开进 8 辆，卡车反而比轿车多 $8-6=2$(辆)了.

2 可能有 2 种情况：

① 这种本子一本 5 角．小李没带钱，所以缺 5 角；小红只带了 4 角 8 分，所以缺 2 分；但两人合起来买一本还不够.

② 这种本子一本 5 角 1 分．小李只带了 1 分钱，缺 5 角；小红只带了 4 角 9 分，所以缺 2 分；但两人合起来买一本还不够.

3 $48+24+18=90$(个).

4 $7×8=56$(袋)，$48<56$，所以不够吃.

5 $38+38-72=4$(厘米).

6 苹果的重量：$(46-24)×2=44$(千克)；

筐的重量：$46-44=2$(千克).

7 $80÷20=4$(只)，$4×(20-12)=32$(只).

8 两个桶都倒出同样多的油后，分别还剩 10 千克和 6 千克,说明大桶比小桶多装 10-6=4(千克)油.

大桶:(50+4)÷2=27(千克);

小桶:(50-4)÷2=23(千克).

9 把一个加数的个位 6 看作 0,即少加了 6;把另一个加数的十位 5 看作 3,即少加了 20,于是,63+6+20=89,正确的和是 89.

10 先算三人一共做的朵数:(27+32+25)÷2=42朵.

小明做的朵数:42-25=17(朵);

小李做的朵数:42-32=10(朵);

小红做的朵数:42-27=15(朵).

第10讲

画图法解应用题

随堂练习

1
```
   1  2  3  4  5  6
───○──○──○──○──○──○─我─○──○──○──○──○──○──○──○──
                   ◄─────────────────────────
                    9  8  7  6  5  4  3  2  1
```

$6+9-1=14$(个),一共有 14 个小朋友在报数.

2
```
    1  2  3  4  5
──○──○──○──○──小明 ○──○──○──○─胖胖─○──○──○──○──○──○──○──○──
                              ◄─────────────────────────
                               8  7  6  5  4  3  2  1
```

$16-5-8=3$(个),小明和胖胖之间隔了 3 个人.

3 $(18-12)÷2=3$(本),李老师要给王老师 3 本练习本,两人的练习本就同样多了.

4 ○●●○○●○○●○● 至少有 4 人已经就座.

5 有 3 种不同的放法:

① 一个盒中放 4 个,另一个盒中不放;

② 一个盒中放 3 个,另一个盒中放 1 个;

③ 两个盒中各放 2 个.

练习题

1

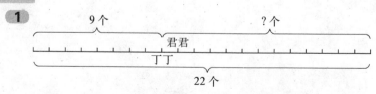

$22-9=13$(个),从队伍的最后往前数,君君排在第 13 个.

2 $6+1+4=11$(个),第一小队一共有 11 个小朋友.

3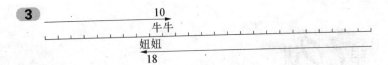

10＋18－2＝26(个)，一共有 26 个小朋友去参观博物馆.

4 20÷4＋1＝6(棵)，一共要种 6 棵树.

5 4×2＝8(支)，小明比小红多 8 支铅笔.

6 4＋3＋3＝10(支)，妹妹原来有 10 支铅笔.

7 4－1＝3(次)，要锯 3 次.

8 9÷(4－1)＝3(分钟)，3×(7－1)＝18(分钟)，从一楼来到七楼要用 18 分钟.

9 若买 3 千克多 2 元，若买 4 千克少 3 元，说明买 1 千克要

$$2 元＋3 元＝5 元，$$

$$3×5 元＋2 元＝17 元(或 4×5 元－3 元＝17 元)，$$

妈妈带了 17 元钱去买苹果.

10 每排队伍有 20÷2＝10(人)，(10－1)×1＝9(米)，每排队伍长 9 米.

第11讲

倒推法解应用题

随堂练习

1 根据"张老师的裙子数是王老师的一半",推算出李老师的裙子数是 $3×2=6$(条),所以张老师和王老师一共有 $3+6=9$(条)连衣裙.

2 $5×2×2=20$(个),玩具店里原来共有 20 个卡通玩具.

3 $(21-6)÷3+1=6$(个),第 6 个数是 21.

4 $(100÷10+15)×4-15=85$(岁),小明爷爷今年 85 岁.

5 $(5×5+5)÷5-5=1$,这个数是 1.

练习题

1 $6×2×2=24$(个),合唱组有 24 个同学.

2 $8×2×2=32$(个),原来有 32 个桃子.

3 $5×2×2=20$(只),这筐鸡蛋有 20 只.

4 解法一:根据"姐姐有 9 张邮票,是哥哥邮票数的一半",推算出哥哥的邮票数是 $9×2=18$(张),姐姐比哥哥少 $18-9=9$(张)邮票;

解法二:因为姐姐的邮票数是哥哥的一半,所以姐姐比哥哥少的部分就是哥哥邮票数的一半,就是 9 张.

5 哥哥:$4+4=8$(颗);弟弟:$6+6=12$(颗);

总数:$8+12=20$(颗),爸爸买回来 20 颗巧克力.

6 $1×2×2+2=6$(块),妈妈一共买了 6 块巧克力.

7 $(60÷4-7)×2=16$,这个数是 16.

8 $(80+50-70)÷3=20$,这个数是 20.

9 $(27÷3-3)×2+5=17$,这个数是 17.

10 $(3×3+3)÷3-3=1$,这个数是 1.

第12讲

列表法解应用题

1

拉的次数	1	2	3	4	5	6	……
灯	不亮	亮	不亮	亮	不亮	亮	

$2+4=6$（次），由于灯原来是亮的，所以拉了 6 次后，如果来电，灯应该是亮着的.

2

百位	十位	个位
2	5	6
2	6	5
5	2	6
5	6	2
6	2	5
6	5	2

共可以组成 6 个没有重复数字的三位数，其中最大的是 652，最小的是 256，它们的和是 $652+256=908$.

3

穿法	1	2	3	4	5	6	7	8	9	10	11	12
上衣	白色				黑色				灰色			
裤子	蓝	褐	黄	绿	蓝	褐	黄	绿	蓝	褐	黄	绿

有 12 种不同的穿法.

4

上层	28
中层	28－6＝22
下层	28＋6＝34

28＋22＋34＝84(本)，这个书架上一共有 84 本书.

5

苹果树	梨树	桃树	和
5	10	7	5＋10＋7＝22(棵)
6	12	9	6＋12＋9＝27(棵)
7	14	11	7＋14＋11＝32(棵)✓
8	16	13	8＋16＋13＝37(棵)

梨树有 14 棵，桃树有 11 棵，苹果树有 7 棵.

练习题

1

百位	十位	个位
1	4	8
1	8	4
4	1	8
4	8	1
8	1	4
8	4	1

共可以组成 6 个没有重复数字的三位数，其中最大的那个数是 841，最小的那个数是 148，它们的差是 841－148＝693.

百位	十位	个位
4	0	7
4	7	0
7	0	4
7	4	0

共可以组成 4 个没有重复数字的三位数,其中最大的数是 740,最小的数是 407,它们的和是 1147.

十位	个位
2	3
2	7
3	2
3	7
7	2
7	3

可以组成 6 个没有重复数字的两位数,其中最大的那个是 73,最小的那个是 23.

1	红红	芳芳	青青
2	红红	青青	芳芳
3	芳芳	红红	青青
4	芳芳	青青	红红
5	青青	红红	芳芳
6	青青	芳芳	红红

共有 6 种不同的排法.

1	1	3
1	2	2
1	3	1
2	1	2
2	2	1
3	1	1

共有 6 种不同的方法.

6 最大的是 962,最小的是 206.

7

甲	乙	丙	年 龄 和	
14	9	7	14＋9＋7＝30	
16	10	8	16＋10＋8＝34	
18	11	9	18＋11＋9＝38	✓
20	12	10	20＋12＋10＝42	

甲 18 岁,乙 11 岁,丙 9 岁.

8 甲 5 岁,乙 3 岁.

9 80÷1＝80(瓶),先喝到 80 瓶可乐;

80÷5＝16(瓶),用 80 个空瓶可以换 16 瓶可乐;

16÷5＝3(瓶)……1(瓶)用 16 个空瓶可以再换 3 瓶可乐,多 1 个空瓶;

这时,可以借一个空瓶,等 3 瓶可乐喝完后,将 3 个空瓶＋原来的 1 个空瓶＋借来的 1 个空瓶＝5 个空瓶,可以最后向商店换一瓶可乐,喝完后,将这一个空瓶还掉即可.

所以最多可以喝到 80＋16＋3＋1＝100(瓶)可乐.

10 男生 12 人,女生 10 人.

第13讲

简单推理（一）

1 丁胜 0 场. 因为共赛六场, 丁赛了三场. 甲胜了丁, 丁已负一场, 就不能胜三场. 假如丁胜一场或两场, 这样甲、乙、丙共胜四场或五场, 他们胜的场数就不可能相同. 所以丁一场也没有胜.

2 从图①可看出, 1 与 2、6 相邻, 从图②可看出, 1 与 3、5 相邻, 因此, 1 对面的数字是 4;

从图②可看出, 3 与 1、5 相邻, 从图③可看出, 3 与 4、6 相邻, 因此, 3 对面的数字是 2.

所以, 1—4, 2—3, 5—6.

3 学生比老师多, 学生最少有 9 人, 老师最多有 7 人, 男老师最多有 6 人, 男同学最多有 5 人. 男同学比女同学多, 男同学最少有 5 人. 因此, 男同学有 5 人, 男老师有 6 人, 女老师有 1 人, 女同学有 4 人.

4 两个轻球的编号分别是④和⑤.

5 C 和 D 得了优.

练习题

1 1 只鸭的重量＝2 只鸡的重量
$$＝2 千克＋2 千克＝4 千克,$$
1 只小猪的重量＝3 只鸭的重量－1 只鸡的重量
$$＝4 千克＋4 千克＋4 千克－2 千克＝10 千克,$$
一只小熊猫的重量＝2 只小猪的重量
$$＝10 千克＋10 千克＝20 千克.$$

2 原来有 $4＋2＝6$(只), 再加 2 只黑兔生了 $5×2＝10$(只)

小兔，6＋10＝16（只），所以李大爷家一共有 16 只兔子.

❸ 1 支圆珠笔换 4 支铅笔，那么 3 支圆珠笔可换 $3×4＝12$（支）铅笔，因为 1 支钢笔可以换 3 支圆珠笔，所以一支钢笔可以换 12 支铅笔.

❹ 由①、②知 $2×4＋3×5＝8＋15＝23$，$5×6＋5×4＝30＋20＝50$，所以，$2×(?)＋7×8＝2×(?)＋56＝70$，$?＝(70－56)÷2＝7$，即图③ $?$ 处应填 7.

❺ 形成图②.

❻ 我们将这 5 个正方体的位置分别称为"前、后、左、右、中". 现在位于前面的正方体的前面上的数字为 1，则其对面的数字应为 6. 与其紧贴的中间的正方体的（前）面的数字应为 2，它的对面的数字应为 5. 而中间正方体的上面的数字为 1，所以，它的对面（下面）的数字为 6，从而，中间正方体的右侧面的数字应为 3 或 4. 与这个面紧贴的右面正方体的左侧面上的数字应为 5 或 4，从而右面正方体上打"?"处的数字应为 2 或 3.

❼

大刚(第二名)	小刚(第一名)	大毛(第四名)	小毛(不是第三名)
✓	✓	✓	×(不成立)
✓	✓	×	✓
✓	×	✓	✓
×	✓	✓	✓

从表中可看出，如果小毛把名次说错了，那么条件不成立；如果大毛把名次说错了，那么大刚第二名，小刚第一名，大毛第三名，小毛第四名；如果小刚把名次说错了，那么大刚第二名，小刚第三名，大毛第四名，小毛第一名；如果大刚把名次说错了，那么大毛第三名，小刚第一名，大毛第四名，小毛第二名. 所以，大毛或小毛都有可能是第四名.

❽ 在第一、第二盘中，丙与 B、C 都配过对了，因此丙的同班

女生是 A;在第一盘中甲与 A 配过对了,所以在第二盘中丙、C 对甲和 B,由于甲与 A、B 都配过对了,因此甲的同班女生是 C,那么乙的同班女生只能是 B.

9 先从贴着"一黑一白"的口袋中摸一个球出来,如果是黑球,那么就是第一种情况:这口袋装的就是两个黑球,贴"两个白球"标签的口袋装的是一黑一白,贴"两个黑球"标签的口袋装的是两个白球;如果摸出的是白球,那么就是第二种情况:这个口袋里装的是两个白球,贴"两个黑球"标签的口袋装的是一黑一白,贴"两个白球"标签的口袋里装的是两个黑球.

贴的标签	两个黑球	两个白球	一黑一白
实际可能情况(1)	两个白球	一黑一白	两个黑球
实际可能情况(2)	一黑一白	两个黑球	两个白球

第14讲

简单推理（二）

随堂练习

1 因为 1 只小熊猫⇒小羊＋小羊

⇒（小兔＋小兔）＋（小兔＋小兔），

所以 1 只小熊猫和 4 只小兔一样重.

2 因为 1 条连衣裙⇒帽子＋帽子

⇒4 条毛巾＋4 条毛巾⇒8 条毛巾，

所以买一条连衣裙的钱可以买 8 条毛巾.

3 因为 1 个梨⇒苹果＋苹果

⇒3 个橘子＋3 个橘子⇒6 个橘子，

所以 1 只生梨的重量和 6 只橘子一样重.

4 丁、丙、甲、乙.

5 从图①可看出，1 与 4、6 相邻，从图②可看出，1 与 2、3 相邻，因此，1 对面的数字是 5；

从图②可看出，3 与 1、2 相邻，从图③可看出，3 与 4、5 相邻，因此，3 对面的数字是 6；

所以，2 对面的数字是 4. 即 1—5，3—6，2—4.

6 由于老师说"他们中有三位决不会说谎话"，那么四个人中有且仅有一个人说假话：

（1）假设甲说假话，那么"玻璃不是丙也不是丁打碎的"，与乙的真话"是丁打碎的"矛盾；

（2）假设乙说假话，那么甲、丙、丁说的真话，甲的真话"玻璃可能是丙也可能是丁打碎的"与丙、丁的真话"不是丙、丁打碎的"矛盾；

(3) 假设丙说假话,那么"丙打碎玻璃"与乙的真话"是丁打碎的"矛盾;

(4) 假设丁说假话,那么"丁打碎了玻璃"与甲、乙、丙的真话都不矛盾.

由以上分析可知,是丁打碎了玻璃.

7 因为任意两个相对面的数字之和是 7,相连的两个面上的数字之和是 8,因此第一个正方体的 1 对面应当是 6,6 对着第二个正方体的 2;第二个正方体的 2 对面应当是 5,5 对着拐弯的第三个正方体的 3;第三个正方体是上 1 下 6,前 3 后 4,左 2 右 5,5 对着第四个正方体的 3;第四个正方体的 3 对面应当是 4,4 对着第五个正方体的 4.第五个正方体的 4 对面应当是 3.所以"?"的这面上写着"3".

练习题

1 因为 1 只小猪⇒小狗+小狗

⇒(小公鸡+小公鸡)+(小公鸡+小公鸡),

所以 1 只小猪的重量等于 4 只小公鸡的重量.

2 因为 1 个西瓜⇒菠萝+菠萝+菠萝+菠萝

⇒3 个苹果+3 个苹果+3 个苹果+3 个苹果

⇒12 个苹果,

所以 2 个西瓜的重量等于 24 个苹果的重量.

3 因为□+○+○=17,○=5,所以

□+5+5=17,□=17-5-5=7.

4 ☆+☆+○+○+△=25,

(☆+○)+(☆+○)+△=25,

因为☆+○=10,所以

10+10+△=25,△=25-10-10=5.

5 因为梨+香蕉=200 克,苹果+香蕉=150 克,所以

梨＋香蕉＋苹果＋香蕉＝350 克.

又因为梨＋苹果＋香蕉＝300 克,比较得出香蕉 50 克,进一步得出苹果 100 克,梨 150 克.

6 先看天平①的左边比天平②的左边多了 2 只小公鸡,右边砝码就多了 12－10＝2(千克),说明一只小公鸡重 1 千克;

再看天平②,2 只鸭＋2 只小公鸡＝10 千克,因为 2 只小公鸡重 2 千克,所以 2 只鸭就重 10－2＝8(千克),1 只鸭重 4 千克.

7 因为 1 只足球⇒篮球＋篮球

⇒(网球＋网球)＋(网球＋网球)

⇒(2 个羽毛球＋2 个羽毛球)＋

(2 个羽毛球＋2 个羽毛球),

所以 1 只足球的价钱＝8 个羽毛球的价钱.

8 6 个面上的 6 种动物为牛、兔、猪、狗、猫、鹿.

从图①可以看出,狗与鹿、猫相邻,从图③可以看出,狗与牛、兔相邻,因此狗的对面是猪;再仔细观察图②和图④,与猪相邻的是鹿、猫、牛、兔,故鹿的对面是牛,兔的对面是猫.

9 ① 小晶 ② 豆豆 ③ 小林 ④ 乐乐 ⑤ 贝贝

(在台上表演节目时,5 个小朋友的左右方向和台下小朋友的左右方向正好相反)

10 总的排列次序是:

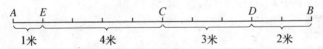

(1) C 与 E 之间有 4 米;

(2) 紧跟在 C 后面的是 D,相距 3 米;

(3) 最前面的人与最后面的人之间有 1＋4＋3＋2＝10(米).

11 这个商品编号是 724.

第15讲

有趣的余数

随堂练习

1 (79-4)÷5=15(个),分给了15个小朋友.

2 7×6+4=46(本),这箱连环画共有46本.

3 7×8+6=62, 7×8+1=57,被除数最大是62,最小是57.

4 19×8+18=170,要使除数最小,被除数是170.

5 8×1+1=9, 8×2+2=18, 8×3+3=27,

8×4+4=36, 8×5+5=45,

8×6+6=54, 8×7+7=63,

符合要求的数为9、18、27、36、45、54、63.

6 第2010组是(3,6,2).

2010÷9=223……3,上排的第2010个数是3;

2010÷6=335,中排的第2010个数是6;

2010÷4=502……2,下排的第2010个数是2;

所以,第2010组是(3、6、2).

练习题

1 (1) □=7×6+3=45;

(2) △=(51-2)÷7=7;

(3) ☆×☆=18-2=16, ☆=4.

2 (43-3)÷5=8(人),第一小队有8人.

3 35÷6=5……5,至少拿走5只,每个小朋友分到5只桃.

4 10×9+9=99, 10×9+1=91,被除数最大是99,最小是91.

5 $6\times4+5=29$,除数最小是 6,这时被除数是 29.

6 $8\times3+7=31$,余数最大是 7,这时被除数是 31.

7 因为 $4\times1+1=5$,$4\times2+2=10$,$4\times3+3=15$,所以符合要求的数为 5、10、15.

8 因为座位号$\div8=2\cdots\cdots2$,$8\times2+2=18$,所以明明坐在 8 排 18 座.

9 $200\div(1+11)=16\cdots\cdots8$,从大黑点逆时针方向数,数到 8,这一个小黑点即是.

10

	1	2	3	4	5	6	7	8	9	10	11	12	…
小明	1	2	3	1	2	3	1	2	3	1	2	3	…
小红	1	2	3	4	1	2	3	4	1	2	3	4	…

经排列分析,12 个数为一个周期,每个周期中有 3 次两人报数相同,$100\div12=8\cdots\cdots4$,$8\times3+3=27$.

所以两人都报到 100 时,有 27 次两人报的数相同.

第16讲

锻炼思维的 24 点

随堂练习

❶ 固定因数 2 时，$2\times(4+4+4)=24$；
固定因数 4 时，$4\times(4+4-2)=24$.

❷ 3+3 凑成 6 时，$(3+3)\times(9-5)=24$；
3+5 凑成 8 时，$(3+5)\times(9\div3)=24$.

❸ $8+9+10-3=24$.

❹ $4\times7-7+3=24$ 或 $3\times7+7-4=24$.

❺ $2\times(10+5)-6=24$ 或 $10\times(5-2)-6=24$.

❻ $(5\times10-2)\div2=24$.

练习题

❶ $1\times1\times3\times8=24$，$3\times8\div1\div1=24$，$1\times3\times8\div1=24$，
$(3+1-1)\times8=24$，$(8+1-1)\times3=24$，$3\times8+1-1=24$.

❷ $2+6+8+8=24$，$8\times(6-2)-8=24$，
$6\times(8-8\div2)=24$.

❸ $3+6+7+8=24$，$3\times8\times(7-6)=24$，
$3\times8\div(7-6)=24$，$(8+3-7)\times6=24$.

❹ $6\times4\times4\div4=24$，$(4+4-4)\times6=24$，
$6\times4+4-4=24$，$(6+4-4)\times4=24$.

❺ $8\times(5-10\div5)=24$，$(10+5)\times8\div5=24$.

❻ $(5+7)\times(8-6)=24$，$(5+7-8)\times6=24$，
$8\div(7-5)\times6=24$，$6\div(7-5)\times8=24$.

❼ $6\times10-6\times6=24$.

❽ $7\times(9-7)+10=24$.

9 $8 \times 10 - 7 \times 8 = 24$.

10 $8 \times 9 \div (10 - 7) = 24$.

11 $7 \times (10 - 8) + 10 = 24$.

12 $8 \times (10 - 8) + 8 = 24$.

第17讲

钟面上的数学

1 小明一天在校共 8 小时 30 分钟.

2 9 时 30 分＋15 分钟＝9 时 45 分,

9 时 45 分－9 时 38 分＝7 分钟.

所以小明要在车站上等 7 分钟才能乘上下一班车.

3 1＋2＋3＋4＋5＋6＋7＋8＋9＋10＋11＋12＝78,三部分的和要相等,78÷3＝26,每一部分的几个数的和应该是 26. 我们知道:

$$12＋1＝13, 11＋2＝13, 10＋3＝13,$$
$$9＋4＝13, 8＋5＝13, 6＋7＝13.$$

那么可以用如图所示的方法将钟面分割成三个部分.

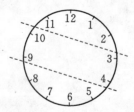

4 (1) 车次①与车次②,车次②与车次③发车时刻相隔时间均为 45 分钟,所以车次⑥10:20 发车,12:25 到达终点;

(2) 车次①、车次②、车次③起点发车时刻与终点到达时刻相隔时间均为 2 小时 5 分钟,这条线路一列火车行驶全程的时间为 2 小时 5 分钟.

5 1 时 30 分.

6 7 点整.

7 快钟每 36 天、慢钟每 24 天显示一次标准时间,所以至少要经过 72 天才能再次同时显示标准时间.

练习题

1 4 时 5 分—2 时 15 分=1 小时 50 分钟.

2 12＋8—9＝11(小时).

3 根据"来回跑步要 8 分钟"可知单程跑步要用 8÷2＝4(分钟),又根据"去时步行,回来跑步要 10 分钟"可知单程步行要用 10—4＝6(分钟),所以来回都步行要用 6×2＝12(分钟).

4 60 个小时是 2 昼夜零 12 个小时,现在是上午 10 点,过 2 昼夜还是上午 10 点,再过 12 个小时,正好是晚上 10 点,太阳不会出来.

5 (1) 镜面①表示的时刻为 7 时 55 分,镜面②表示的时刻为 5 时 40 分;

(2) 7 时 55 分—5 时 40 分＝2 小时 15 分钟,时间差为 2 小时 15 分钟.

6 (12—8)×2＝8(分钟),12 时—8 分钟＝11 时 52 分.

7 11 时—6 时 10 分＝4 小时 50 分钟,小明早晨离家到中午回到家共经过 4 小时 50 分钟,12 时—8 时＝4 小时,减去在学校的 4 小时和提前到校的 10 分钟,小明在路上共用了 40 分钟.如果小明上学、放学在路上用的时间相同,40÷2＝20(分钟),那么小明上学、放学各用了 20 分钟,7 时 50 分—(6 时 10 分＋20 分钟)＝1 小时 20 分钟＝80 分钟,因此他家的闹钟停了 80 分钟.

8 略.

第18讲

这本书有多少页

随堂练习

1 从第1页~第9页,一共有9个一位数,用了9个数字;

从第10页~第85页,一共有85−9=76(个)两位数,用了76×2=152(个)数字;

所以编这本书的页码一共用了9+152=161(个)数字.

2 这本书一共用了129个数字,最大的页码应该是两位数,是第(129−9)÷2=60(个)两位数,9+60=69(页),所以这本书一共有69页.

3 (1)个位:8,18,28,38,48,58,68,78,88,98,"8"在个位出现了10次;

(2)十位:80,81,82,83,84,85,86,87,88,89,"8"在十位也出现了10次.

10+10=20(次),所以一共用了20个"8".

4 如果编到第100页,那么数字"2"在个位和十位上都分别出现10次,共10+10=20(次),还可以再用3个数字"2",分别是102,112和120,因此这本故事书有120页.

5 (1)先算出原来用189个数字可以编到第几页,

(189−9)÷2=90(页),90+9=99(页);

(2)由于最后一页是第99页,因此后来增加的10页,每个页码都是三位数,所以还要增加3×10=30(个)数字.

6 (1)先求在48个页码中,含数字"2"和"8"的页码有多少个.

个位出现"2"或"8":2,12,㉒,32,42,8,18,㉘,38,48共

10个；

十位出现"2"：20，21，㉒，23，24，25，26，27，㉘，29共10个；

10＋10－2＝18个．（22、28各重复出现一次）

(2) 48－18＝30(个).

所以在48个页码中，不含数字"2"和"8"的页码共有30个.

练习题

1 页码为一位数：共9页；

页码为两位数：(95－9)÷2＝43(页)；

9＋43＝52(页).这本故事书共有52页.

2 第1页～第9页：9个数字；

第10页～第80页：(80－9)×2＝142(个)数字；

9＋142＝151(个).编这本书的页码一共用了151个数字.

3 这本书一共用了131个数字，最大的页码应该是两位数，是第(131－9)÷2＝61(个)两位数，9＋61＝70(页).

所以这本书的最后一页的页码是70.

4 一位数：9个数字；

两位数：(99－9)×2＝180(个)数字；

三位数：(200－99)×3＝303(个)数字；

9＋180＋303＝492(个)数字.

所以编页码时一共用了492个数字.

5 个位：10，20，30，40，50，60，70，80，90，100，110，120，出现12次"0"；

十位：100，101，102，103，104，105，106，107，108，109，出现10次"0"；

所以12＋10＝22(次).

数字"0"在页码中一共出现了22次.

6 个位：1，11，21，31，…，121，"1"在个位出现了13次；

十位：10，11，12，…，19，110，111，112，…，119，"1"在十位出现了20次；

百位：100～123，"1"在百位出现了 24 次；

13＋20＋24＝57(次)．所以数字"1"出现了 57 次．

7 如果编到第 100 页，那么数字"3"在个位和十位上都分别出现 10 次，共 10＋10＝20(个)，还可以再用 4 个数字"3"，是 103、113、123、130．所以这本故事书有 130 页．

8 减少的 8 页的页码都是两位数，因此比原先少用 2×8＝16(个)数字．

9 模仿例 3，分类计算．

(1) 第 1 页～第 9 页，符合条件的页码有 8 个，即

$$1, 2, 4, 5, 6, 7, 8, 9;$$

(2) 第 10 页～第 19 页，符合条件的页码有 8 个，即

$$11, 12, 14, 15, 16, 17, 18, 19;$$

(3) 第 20 页～第 29 页，符合条件的页码有 8 个，即

$$21, 22, 24, 25, 26, 27, 28, 29;$$

(4) 第 30 页～第 39 页，所有页码的十位上都有数字"3"，因此都排除；

(5) 第 40 页～第 49 页，符合条件的页码有 8 个，即

$$41, 42, 44, 45, 46, 47, 48, 49;$$

(6) 第 50 页～第 59 页，符合条件的页码有 5 个，即

$$51, 52, 54, 55, 56.$$

因此合起来不含数字"0"和"3"的页码，一共有

$$8＋8＋8＋8＋5＝37(个).$$

10 (1) 第 1 页～第 9 页：9 个数字；

第 10 页～第 99 页：(99－9)×2＝180(个)数字；

第 100 页～第 105 页：(105－99)×3＝18(个)数字；

9＋180＋18＝207(个). 一共用了 207 个数字.

(2) 个位出现"1"：1，11，21，…，91，101，共 11 次；

个位出现"5"：5，15，25，…，95，105，共 11 次；

十位出现"1"：10，11，12，…，19，共 10 次；

十位出现"5"：50，51，52，…，59，共 10 次；

百位出现"1"：100，101，102，103，104，105，共 6 次；

$$11＋11＋10＋10＋6＝48(次).$$

在这些数字中"1"和"5"一共出现了 48 次.

第19讲

逆序推理法

随堂练习

1 浮萍第 10 天正好遮住了整个水面,那么遮住水面的一半时是第 9 天.

2 (4+1)×2=10(块),(10+1)×2=22(块).

原来商店里一共有 22 块卡通手表.

3 (4-1)×2=6(个),(6+1)×2=14(个).

原来这袋苹果有 14 个.

4 最后三个篮子里的苹果数相同,而苹果总数没有变化,那么就可以知道最后三个篮子每篮都有苹果 30÷3=10(只),然后从结果往前推算,列出下表分析.

	第一篮	第二篮	第三篮
结果	10	10	10
第二篮给第三篮前	10	15	5
第一篮给第二篮前	13	12	5

所以第一个篮子原来有苹果 13 只,第二个篮子原来有苹果 12 只,第三个篮子原来有苹果 5 只.

练习题

1 5 分钟篮子就放满了,那么 4 分钟时篮子里有一半的苹果.

2 根据"第二次剪去剩下的一半多 2 米,这时绳子还剩 2

米",推算出第二次剪之前(第一次剪之后),绳子还剩

$$(2+2)×2=8(米);$$

根据"第一次剪去一半多 2 米",推算出绳子原长

$$(8+2)×2=20(米).$$

这根绳子长 20 米.

3 $(4+2)×2=12(个)$,$12×2=24(个)$.

这堆苹果原来有 24 个.

4 $(4+1)×2=10(元)$,$10×2=20(元)$,$20+4=24(元)$.

小丽原来有 24 元.

5 $(1+1)×2=4(只)$,$(4+1)×2=10(只)$,

$$(10+1)×2=22(只).$$

小丸子原先一共采了 22 只苹果.

6 $(6+1)×2=14(本)$,$(14-3)×2=22(本)$.

老师一共买来 22 本练习本.

7 第三次用之前,绳长 $15+7=22(米)$;

第二次用之前,绳长 $(22-10)×2=24(米)$;

第一次用之前,绳长 $(24+3)×2=54(米)$.

这捆电线原来总长 54 米.

8 我们可以从结果往前推:

	小胖	小亚	小丁丁
结果	5	5	5
小丁丁给小胖前	2	5	8
小亚给小丁丁前	2	6	7
小胖给小亚前	4	4	7

从表格中可以看出,小胖、小亚和小丁丁原来各有 4 张、4 张、

7张年历片.

9 因为三层最后可乐的瓶数相同,而总瓶数没有变化,那么三层最后都各有 $60÷3＝20$(瓶)可乐,和上题相同,我们从结果往前推:

	第一层	第二层	第三层
结果	20	20	20
第二层给第一层前	13	27	20
第一层给第三层前	18	27	15

从表格中可以看出,三层货架上原来各有18瓶、27瓶、15瓶可乐.

10 $48÷3＝16$(千克),

甲桶原有油:$16＋8＝24$(千克);

乙桶原有油:$16－8＋6＝14$(千克);

丙桶原有油:$16－6＝10$(千克).

第20讲

简单的周期问题

1 $107÷5＝21……2$,第 107 个图形是☆.

2 $26÷4＝6……2$,最后一颗应染黑色.

3 $61÷6＝10……1$,第 61 盏灯是红色,61 盏灯里黄灯有 10 盏.

4 (1) $25÷3＝8……1$,第 25 个数是 2;

(2) $(2＋4＋1)×8＋2＝58$,这 25 个数的和是 58.

5 每行有 4 个数,两行 8 个数为一周期按 B、C、D、E、D、C、B、A 排列,因为 $99÷8＝12(周)……3(个)$,即有 12 个周期加 3 个数,$2×12＋1＝25(行)$,所以 99 在第 25 行的 D 类.

6 两人以同样的速度同时开始报数,每报 15 个数有 3 个数相同.如下所示:

	1	2	3	4	5	6	7	8	9	10	11	12	13	14	15	16	
小明	①	②	③	1	2	3	1	2	3	1	2	3	1	2	3	1	…
小红	①	②	③	4	5	1	2	3	4	5	1	2	3	4	5	1	

$100÷15＝6(周)……10(个)$,一共有 $6×3＋3＝18＋3＝21(次)$两人报的数相同.

1 $100÷(2＋3)＝100÷5＝20$,第 100 颗珠子是●.

2 50 个三角形是按"2 个▲、2 个△、一个▲、一个△"的顺序重复排列的,一个周期内共有 $2＋2＋1＋1＝6(个)$三角形.

因为 $50÷6=8$(周)……2(个),所以这 50 个三角形中含有 8 个周期,还余下 2 个▲.每个周期中有 3 个△,余数中没有△,所以共有 $8×3=24$(个)△.

3 $15÷6=2……3$,第 15 棵为香樟树;

$30÷6=5$,第 30 棵为广玉兰.

4 $50÷6=8……2$,第 50 只彩灯是黄色的;

$8+1=9$(只),红色的彩灯共有 9 只.

5 $50÷(4+3+2)=5……5$,最后一面彩旗是黄色的;

$5×4+4=24$(面),红旗共有 24 面.

6 $30÷5=6$(周),$(3+7+2+4+1)×6=17×6=102$.

前 30 个数的和是 102.

7 (1) 6 个数为一个周期,$63÷6=10$(周)……3(个),

$10×(1+2+2+3+3+3)+(1+2+2)=10×14+5=145$.

第一个数到第 63 个数全部加起来,和是 145.

(2) $358÷(1+2+2+3+3+3)=358÷14=25$(周)……$8$,

每个周期共有 6 个数,25 个周期就有 $6×25=150$(个)数;

又因为 $8=1+2+2+3$,即 8 是 4 个数的和;

所以若和为 358,共加了 $150+4=154$(个)数.

8 $(100-2)÷6=98÷6=16$(周)……2(个).

第 100 个数是 6.

9 除第一行外,每行 4 个数,两行 8 个数为一个周期,按二、三、四、五、四、三、二、一排列,因为 $(1991-1)÷8=248$(周)……6(个),即有 248 个周期多 6 个学生,所以最后一个学生应该站在第三列.

10 $95÷5=19$(组),为"布";

$95÷4=23$(组)……3(个),为"B";

$95÷3=31$(组)……2(个),为"1";所以第 95 组是(布,B,1).

$(5+1+5)×31+(5+1)=11×31+6=341+6=347$.

所有数字之和是 347.

第21讲

奇 数 和 偶 数

随堂练习

❶ （一）先对算式(1)进行分析：

$$偶+○=○⇒\begin{cases}偶+偶=偶\\偶+奇=奇\end{cases}$$

$$○+偶=○⇒\begin{cases}偶+偶=偶\\奇+偶=奇\end{cases}$$

$$○+○=偶⇒\begin{cases}偶+偶=偶\\奇+奇=偶\end{cases}$$

由上可知,算式(1)的 3 个整数中最多可出现 2 个奇数.

（二）再对算式(2)进行分析：

$$偶-○=○⇒\begin{cases}偶-偶=偶\\偶-奇=奇\end{cases}$$

$$○-偶=○⇒\begin{cases}偶-偶=偶\\奇-偶=奇\end{cases}$$

$$○-○=偶⇒\begin{cases}偶-偶=偶\\奇-奇=偶\end{cases}$$

由上可知,算式(2)的 3 个整数中最多可出现 2 个奇数.

（三）2+2＝4,所以这 6 个整数中最多有 4 个奇数.

❷ 因为 10＝2+2+3+3,这样比较公平. 所以 4 个小朋友
分别得到苹果的个数是 2、2、3、3,它们分别是偶数、偶数、奇数、

习题详细解答   第 2 1 讲 奇数和偶数 / 55

奇数.

3 将每个小方格里的数算出来,数一数奇数和偶数的个数,再比较一下,就知道是奇数多还是偶数多.

列 行	1	2	3	4	5	6
1	2	3	4	5	6	7
2	3	4	5	6	7	8
3	4	5	6	7	8	9
4	5	6	7	8	9	10
5	6	7	8	9	10	11
6	7	8	9	10	11	12

从图中,数出奇数有 18 个,偶数也有 18 个,所以奇数和偶数同样多.

4 将这串数中的每个数是奇数还是偶数写下来发现排列的规律是:奇数、偶数、奇数、偶数、奇数、偶数……因此这些数中第27 个数是奇数,第 60 个数是偶数.

5 这个算式中一共有 7 个奇数相加,如果 2 个奇数为一组,最后还剩下 1 个奇数,因此每组 2 个奇数的和是偶数,那么最后加上 1 个奇数,和是奇数.

6 第一次报数后,1 号、3 号、5 号、7 号、9 号、11 号、13 号、15 号、17 号出列,剩下的是 2 号、4 号、6 号、8 号、10 号、12 号、14号、16 号;

第二次报数后,2 号、6 号、10 号、14 号出列,剩下的是 4 号、8号、12 号、16 号;

第三次报数后,4 号、12 号出列,剩下的是 8 号、16 号;

第四次报数后,8 号出列,只剩下 1 个人,就是 16 号.

练习题

1 由奇数和偶数的性质,经过分析,奇数和偶数分别有

2个.

2 1~59中,从奇数开始,又到奇数结束,因为是按奇数、偶数、奇数、偶数……的规律排列,因此奇数比偶数多1个.奇数有30个,偶数有29个.

3 因为12=2+2+2+3+3,这样比较公平,所以各班分得足球的个数是2、2、2、3、3,它们分别是偶然、偶数、偶数、奇数、奇数.

4 每组分到的皮球个数分别是1、3、5、7、9个.

5 所送贺卡总数是偶数,因为收到贺卡的人都要回送一张,那么在两个人之间送贺卡的总数是2张,全班所送贺卡总数就是由这些2加起来的,因为2是偶数,偶数+偶数=偶数,所以贺卡的总数是偶数.

6 先将这行数中每个数是奇数还是偶数写下来,发现排列的规律是奇数、偶数、奇数、偶数、奇数、偶数……因此这些数中第11个数是奇数,第100个数是偶数.

7 如图,可以先把每个格子的数算出来,然后数一数奇数和偶数的个数.

列 行	1	2	3	4	5	6	7
1	2	3	4	5	6	7	8
2	3	4	5	6	7	8	9
3	4	5	6	7	8	9	10
4	5	6	7	8	9	10	11
5	6	7	8	9	10	11	12
6	7	8	9	10	11	12	13
7	8	9	10	11	12	13	14

在第1、3、5、7行中,每行都有奇数3个,偶数4个.在第2、4、6行中,每行都有奇数4个,偶数3个,所以奇数有3+3+3+3+4+4+4=24(个),偶数有3+3+3+4+4+4+4=25(个)或

$49-24=25$(个).

8 这行数中奇数和偶数排列的规律是：奇数、奇数、偶数、偶数、奇数、奇数、偶数、偶数、奇数、奇数、偶数、偶数……

$35÷4=8……3$,因此第 35 个数是偶数.

9 因为奇数＋奇数＝偶数,在这个算式中一共有 10 个奇数.如果每 2 个奇数为一组,共 5 组.每组 2 个奇数的和都是偶数,而偶数＋偶数＝偶数,所以这个算式的和是偶数.

10 24 排 6 座、8 座和 10 座.

11 第 1 步：先算出前面一些数的结果,并看一看它们是奇数还是偶数：

1, 3, 6, 10,15,21,28,36,45,…

奇 奇 偶 偶 奇 奇 偶 偶 奇 …

这一行数中,奇偶数排列的规律是每 4 个数一组,分别是奇、奇、偶、偶,循环出现.根据这个规律,我们可以知道,$1+2+3+4+5+6+…+18+19+20$ 的和是第 20 个数,是偶数.

12 这名同学第一次报 32 号.

第22讲

智 力 计 数

随堂练习

1 把每3张纸粘在一起成为一张"厚纸",12张纸共粘成4张厚纸.按题目要求,相当于每两张厚纸之间放入一片树叶,可知共放入3片树叶.

2 "当—当—当"钟打响了三下,三响之间的间隔是2次,两个时间间隔用了12秒,一个时间间隔就是$12 \div 2 = 6$(秒).如果钟打六下,六响之间的间隔是5次,因而钟打六下要

$$6 \times 5 = 30(秒).$$

3 $1 + 2 + 3 + 4 + 5 + 6 + 7 + 8 + 9 = 45$(根).

4 $1 + 1 + 2 + 3 + 4 + 5 + 6 + 7 + 8 = 37$(块).

5 共有6种排法:

（○☆◇）（○◇☆）（☆○◇）（☆◇○）（◇○☆）（◇☆○）

6 从8开始取.

第1张取8,$8 + 1 + 2 = 11$,另两张分别取1和2;

第1张取7,$7 + 1 + 3 = 11$,另两张分别取1和3;

第1张取6,$6 + 1 + 4 = 11$,另两张分别取1和4;

第1张取6,$6 + 2 + 3 = 11$,另两张分别取2和3;

第1张取5,$5 + 2 + 4 = 11$,另两张分别取2和4.

所以共有5种不同的取法.

7 先确定十位数字,再确定个位数字.具体排法如下:

（1）十位数排1有10,16,18三个;

（2）十位数排6有60,61,68三个;

习题详细解答   第22讲 智力计数 / 59

(3) 十位数排 8 有 80，81，86 三个；

合起来一共有 3＋3＋3＝9(个).

1 一共要打 99 个结.

2 6 根电灯柱之间有 5 个间隔，一共有商店

$$4＋4＋4＋4＋4＝20(家).$$

3 1＋3＋5＋7＋9＋6＋10＋14＋17＝72(个)

或(1＋3＋5＋7＋9)×3－3＝72(个).

4 8÷1＝8(个)间隔，因为走道的起点、终点都要插，所以一边要插 8＋1＝9(面)彩旗，两边共插 2×9＝18(面)彩旗.

5 三个人同时唱一首歌用 3 分钟，六个人同时唱这首歌也只需要 3 分钟.

6 4 天看了 6×4＝24(页)，第五天应从第 25 页看起.

7 因为折成 5 段后，再对折一次，就折成相等的 10 段. 这时若从中间剪开，会出现 10 个剪口，这 10 个剪口将绳子分成 11 段.

8 因为敲 6 下，中间有 5 个间隔，用 5 秒，说明每个间隔为 1 秒；现在敲 12 下，中间有 11 个间隔，应用 11 秒.

9 从一层楼走到四层楼共经过 3 个楼层，共用 48 秒，说明每走一个楼层(即从一层楼走到二层楼，或从二层楼走到三层楼……)需要 48÷3＝16(秒)；

现在以同样的速度从四层楼走到八层楼共经过 4 个楼层，每个楼层需用 16 秒，4 个楼层需要 4×16＝64(秒).

10 先用红色与剩下的颜色配：红黄、红蓝、红绿；

再用黄色与剩下的颜色配：黄蓝、黄绿；

最后用蓝色与剩下的绿色配：蓝绿.

因此，一共有 6 种不同的涂法.

11 十位排 2 有 23、26、28 共三种；

十位排 3 有 32、36、38 共三种；

十位排 6 有 62、63、68 共三种；

十位排 8 有 82、83、86 共三种；

合起来，一共有 3＋3＋3＋3＝12(种).

⑫ 先将颜色搭配分类组合，然后再考虑三面旗子上、中、下的排列顺序. 三面旗子的颜色搭配有 4 种：三红、三黄、两红一黄、两黄一红. 具体排例如下：

(1) 三红：(红红红)1 种

(2) 三黄：(黄黄黄)1 种

(3) 二红一黄：(黄红红)，(红黄红)，(红红黄)3 种

(4)二黄一红：(红黄黄)，(黄红黄)，(黄黄红)3 种；

合起来共有1＋1＋3＋3＝8(种).

第**23**讲

明年的今天是星期几

1 一个星期是 7 天,2009 年的 6 月 1 日是星期一,以这天为这周的开始,后面几天分别为星期二、星期三、星期四、星期五、星期六和星期日.将这样的 7 天作为一周,63 天里有 63÷7＝9(周),第 63 天是第 9 周的最后一天,是星期日.

所以从 2009 年的 6 月 1 日起,第 63 天是星期日.

2 2009 年 4 月 1 日起到 8 月 1 日,一共经过了 30＋31＋30＋31＋1＝123(天),123÷7＝17(周)……4(天),这余下的 4 天是第 18 周的前 4 天,分别是星期三、星期四、星期五、星期六,所以 2009 年的 8 月 1 日是星期六.

3 "今天是星期六,再过 69 天是星期几?"等同于"今天是星期六,从今天起第 70 天是星期几?"(69＋1)÷7＝10(周),第 70 天是第 10 周的最后一天,是星期五,所以再过 69 天是星期五.

4 因为 2010 年是平年,所以从 2009 年 10 月 1 日到 2010 年 9 月 30 日有 365 天,再加上 2010 年的 10 月 1 日,一共有 365＋1＝366(天),366÷7＝52(周)……2(天),因为 2009 年 10 月 1 日是星期四,所以 2010 年 10 月 1 日是星期五.

5 从 7 月 7 日到 9 月 19 日一共有 25＋31＋19＝75(天),75÷7＝10(周)……5(天),9 月 19 日是星期日.

6 从 5 月 1 日到 8 月 1 日一共有 31＋30＋31＋1＝93(天),93÷7＝13(周)……2(天),8 月 1 日星期日是余下 2 天中的第 2 天,那么第 1 天应是星期六,5 月 1 日是第 1 周的第 1 天,所以也是星期六.

1 $59 \div 7 = 8$(周)……3(天),余下的 3 天是第 9 周的前 3 天,分别是星期三、星期四、星期五,所以从这一天起第 59 天是星期五.

2 从 7 月 1 日到 11 月 1 日一共有 $31 + 31 + 30 + 31 + 1 = 124$(天),$124 \div 7 = 17$(周)……5(天),所以 2009 年的 11 月 1 日是星期日.

3 从 2010 年的 10 月 1 日到 2011 年的 1 月 1 日一共有 $31 + 30 + 31 + 1 = 93$(天),$93 \div 7 = 13$(周)……2(天),所以 2011 年的 1 月 1 日是星期六.

4 $(49 + 1) \div 7 = 7$(周)……1(天),再过 49 天是星期日.

5 从 6 月 1 日到 9 月 10 日一共有 $30 + 31 + 31 + 10 = 102$(天),$102 \div 7 = 14$(周)……4(天),教师节(9 月 10 日)是星期六.

6 因为 2010 年是平年,2 月有 28 天,所以从 2009 年的 9 月 1 日到 2010 年的 9 月 1 日一共有 $365 + 1 = 366$(天),$366 \div 7 = 52$(周)……2(天),所以 2010 年的 9 月 1 日是星期三.

7 一共有 $11 + 31 + 30 + 4 = 76$(天),$76 \div 7 = 10$(周)……6(天),这一年的 5 月 4 日青年节是星期五.

8 $7 \times 4 = 28$,因为这一年 2 月有 5 个星期六,所以这年 2 月有 29 天,而且 2 月 1 日和 2 月 29 日都是星期六,那么 3 月 1 日应是星期日,从 3 月 1 日到 5 月 1 日一共有 $31 + 30 + 1 = 62$(天),$62 \div 7 = 8$ 周……6(天),所以这一年的 5 月 1 日是星期五.

9 2008 年的 3 月 1 日到 2009 年的 3 月 1 日一共有 $365 + 1 = 366$(天),$366 \div 7 = 52$(周)……2(天),2009 年的 3 月 1 日是星期日,是余下 2 天中的第 2 天,那么每周的第一天是星期六,所以 2008 年的 3 月 1 日是星期六.

10 从 10 月 12 日到 12 月 12 日一共有 $20 + 30 + 12 = 62$(天),$62 \div 7 = 8$(周)……6(天),小丁丁爸爸的生日 12 月 12 日是星期四.

第24讲

最大和最小

1 先列举出把 12 分成两个正整数的和的所有情况：

$$12=1+11=2+10=3+9=4+8=5+7=6+6,$$

一共有六种不同的情况. 再将每种情况的乘积算出来：

$$1\times11=11, 2\times10=20, 3\times9=27, 4\times8=32, 5\times7=35, 6\times6=36.$$

从中可以看出，当这两个正整数都是 6 时，它们的乘积最大；当这两个正整数分别是 1 和 11 时，它们的乘积最小.

2 先列举出把 56 分成两个正整数的乘积的所有情况：

$$56=1\times56=2\times28=4\times14=7\times8,$$

一共有四种不同的情况. 再将每种情况的和算出来：

$$1+56=57, 2+28=30, 4+14=18, 7+8=15.$$

从中可以看出，当这两个正整数分别是 1 和 56 时，它们的和最大；当这两个正整数分别是 7 和 8 时，它们的和最小.

3 把 17 分成 $3+3+3+3+3+2$，乘积最大是

$$3\times3\times3\times3\times3\times2=486.$$

4 $765+654=1419$，$756+663=1419$，两个因数的和相等，而 $765-654=111$，$756-663=93$，$111>93$，根据"当两个正整数和一定时，两个正整数之间差越小，积越大"，所以

$$765\times654<756\times663.$$

5 要使剩下的六个数字组成的六位数最大，那么最高位留

下的数字要尽量大. 经尝试后发现, 在多位数 464748495051 中从左到右划去 4、6、4、7、4、4, 剩下的六个数字组成最大的六位数是 895051.

⑥ 如果要使硬币的个数最多, 那么要尽量多用 1 分硬币. 因为三种硬币都要用, 那么 1 分硬币用 93 个, 可以组成 93 分, 剩下的 7 分由 1 个 2 分硬币和 1 个 5 分硬币组成, 正好等于 100 分, 也就是 1 元. 因此最多用硬币

$$93+1+1=95(个).$$

练习题

① 甲、乙分别是 9 和 10, $9 \times 10 = 90$, 它们的乘积最大.

② a、b 都等于 8, $8+8=16$, 它们的和最小.

③ 把 17 分成 $8+9$, $8 \times 9 = 72$, 它们的乘积最大.

④ 把 100 分成 $1+99$, $1 \times 99 = 99$, 它们的乘积最小.

⑤ $48 = 1 \times 48 = 2 \times 24 = 3 \times 16 = 4 \times 12 = 6 \times 8$, 要使两个正整数的和最大, 它们应该是 1 和 48; 要使和最小, 它们应该是 6 和 8.

⑥ $19 = 3+3+3+3+3+2+2$, 乘积最大是

$$3 \times 3 \times 3 \times 3 \times 3 \times 2 \times 2 = 972.$$

⑦ 因为 $9876+8765 = 9875+8766 = 18641$, 而

$$9876-8765 = 1111, \quad 9875-8766 = 1109,$$

因为 $1111 > 1109$, 所以 $9876 \times 8765 < 9875 \times 8766$.

⑧ $10234-9 = 10225.$

⑨ 最大数是 9951, 最小数是 1566, 它们的和是

$$9951+1566 = 11517.$$

⑩ 如图: ○●○○○●○○○●○○○●○○○○●
图中圆圈表示 20 个座位, "●"表示已经有人的座位, 从图中可以

看出,如果新来一个人,他无论坐在哪个座位上,都有一个人与他相邻,那么原来至少已有 7 个人就座.

11 在 100 张选票中,小胖已经得了 45 票,还剩下 120－100＝20(票)没投.如果这 20 票中小胖得 5 票,剩余的 15 票都给小丁丁,那么小胖得了 45＋5＝50(票),小丁丁得 35＋15＝50(票),两人票数相等.因此如果小胖要保证当选,他必须再多得 1 票,因此小胖得 6 票,剩余的 14 票都给小丁丁,那么小胖得 45＋6＝51(票),小丁丁得 35＋14＝49(票),小胖能当选.所以小胖要保证当选,最少还需要 6 张选票.

第25讲

简单的操作问题

1 4种颜色,每种颜色每次串1粒,4粒为一组.

$39÷4=9$(组)……3(粒),第39粒应该是蓝色的.

2 最少称1克,最多称$1+2+4=7$(克),中间的2克、3克、4克、5克、6克都可以通过砝码的不同组合称,所以可以称7种不同重量的物品.

3 每次变换,☆按逆时针方向转动一格,每4次后☆正好回到原处.$20÷4=5$,没有余数,说明变换20次,☆正好回到原处,在3号格内.

4 九张卡片上数的和是

$$4+5+6+7+8+9+10+11+12=72=24+24+24,$$

因此三个组每组三个数的和是24.其中一种分法是:
第1组(4,9,11),第2组(5,7,12),第3组(6,8,10).

5 1元$=10$角,$5×10+3×5$角$+7×1$角$=72$角,

$72÷2=36$(角),所以一份是3个1元,6个1角;

另一份是2个1元,3个5角,1个1角.

6

甲	1桶水	1个半桶水	2个空桶
乙	1桶水	1个半桶水	2个空桶
丙		3个半桶水	1个空桶

7 最少称2次.

1 少 16 块砖.

2 还要补 13 块三角形,才能铺满整个图形.

3 ① 每边 8 个格子:

沿边放一行,共要 $(8-1)\times4=28$(个)棋子;

沿边放两行,共要 $(8-1)\times4+(8-3)\times4=48$(个)棋子.

② 每边 10 个格子:

沿边放一行,共要 $(10-1)\times4=36$(个)棋子;

沿边放两行,共要 $(10-1)\times4+(10-3)\times4=64$(个)棋子.

4 $8=1+7=2+6=3+5=4+4$,一共有 4 种不同的分法.

5 如图,切 3 刀最多切成 7 块.

6 剪 3 次,一共剪成了 4 段,每根长 $12\div4=3$(米).

7 $2+2=4$(米),原来的绳子长 $4+2=6$(米).

8 将左起第 1 和第 3 个杯子中的水倒入第 6 和第 8 个空杯中;或者将左起第 2 和第 4 个杯中的水倒入第 5 和第 7 个空杯中.

9 最少称 2 次.

10 先做尝试,如果从 1 开始拿,最后剩下是 8 号,所以从 19 开始拿,最后剩下棋子号码为 6(依次取走号码为 19,1,3,5,7,9,11,13,15,17,20,4,8,12,16,2,10,18,14).

专题 *1*

用乘除法关系来求未知数

乘法各部分间的关系是：积＝被乘数×乘数（因数×因数），

一个因数＝积÷另一个因数.

除法各部分间的关系是：商＝被除数÷除数，

除数＝被除数÷商，被除数＝除数×商.

应用乘除法各部分间的关系，可以验算乘除法是否正确，也可以求乘除法算式中的未知数.

怎样才能正确、迅速地求出未知数 x 呢？我们可以采用"一看、二想、三求、四验"的方法来求未知数 x.

一看：看题目中的未知数是什么数；

二想：就是根据已学过的乘除法各部分之间的关系，想一想运用哪一种关系式求题目中的未知数 x；

三求：通过选中的关系式求题目中的未知数 x；

四验：就是把求出的 x 的值代入原来的式子，算一算等号两边的值是否相等.

1 求 $9×x=72$ 中的未知数 x.

解 x 代表的是因数，可以根据"一个因数＝积÷另一个因数"，来求未知数 x.

$$9×x=72,$$
$$x=72÷9,$$
$$x=8.$$

2 求 $x×4=36$ 中的未知数 x.

解
$$x=36÷4,$$
$$x=9.$$

3 什么数乘 5 得 75?

解 这是一道含有未知数 x 的文字题,首先设要求的数为 x,然后利用乘法各部分间的关系,求出未知数 x.

设要求的数为 x.

$$x \times 5 = 75,$$
$$x = 75 \div 5,$$
$$x = 15.$$

4 求 $x \div 7 = 8$ 中的未知数 x.

解 x 代表的是被除数,可以根据"被除数＝除数×商"来求未知数 x.

$$x \div 7 = 8,$$
$$x = 7 \times 8,$$
$$x = 56.$$

5 求 $42 \div x = 6$ 中的未知数 x.

解 x 代表的是除数,可以根据"除数＝被除数÷商"来求未知数 x.

$$42 \div x = 6,$$
$$x = 42 \div 6,$$
$$x = 7.$$

6 40 除以一个数得 5,这个数是多少?

解 这是一道含有未知数 x 的文字题,首先设要求的数为 x,然后再想所求的未知数在除法中是什么数,这道题中的 x 所表示的是除数.

设要求的数为 x.

$$40 \div x = 5,$$
$$x = 40 \div 5,$$
$$x = 8.$$

7 一个数除以 9 得 6，这个数是多少？

解 这是一道含有未知数 x 的文字题，首先设要求的数为 x，然后利用除法各部分间的关系，求出未知数 x.

设要求的数为 x.

$$x \div 9 = 6,$$
$$x = 9 \times 6,$$
$$x = 54.$$

8 奶奶买来 2 条鲈鱼，又买来 6 条黄鱼，买来的黄鱼是鲈鱼的几倍？

解 把要求的"买来的黄鱼是鲈鱼的几倍"设为未知数 x，根据"鲈鱼的条数 × 倍数 ＝ 黄鱼的条数"这个等量关系式，列出含有未知数 x 的等式.

设买来的黄鱼是鲈鱼的 x 倍.

$$2 \times x = 6,$$
$$x = 6 \div 2,$$
$$x = 3.$$

答：买来的黄鱼是鲈鱼的 3 倍.

9 一本语文书有 56 页，是一本数学书的 2 倍，数学书有多少页？

解 把"数学书有多少页"设为未知数 x，根据"语文书的页数 ÷ 数学书的页数 ＝ 2 倍"这个等量关系式，列出含有未知数 x 的等式.

设数学书有 x 页.

$$56 \div x = 2,$$
$$x = 56 \div 2,$$
$$x = 28.$$

答：数学书有 28 页.

10 停车场里停放的轿车的数量是货车的 5 倍,货车有 7 辆,轿车有多少辆?

解 设轿车有 x 辆.

$$x \div 5 = 7,$$
$$x = 5 \times 7,$$
$$x = 35.$$

答:轿车有 35 辆.

专题 2

积的个位是多少？末尾有多少个 0？

一个数的个位数,就是指这个数的个位数字.

几个数积的个位数,等于这几个数个位数积的个位数.

如:197 与 338 的积的个位数,等于这两个数的个位数 7 与 8 积的个位数,即 56 的个位数为 6.

一个数自乘几次后,积的个位数等于它的个位数自乘几次后积的个位数.如:$92×92×92×92$ 积的个位数就等于 $2×2×2×2$ 的个位数,即 16 的个位数为 6.

要知道积的个位上的数字是几,关键在于找到积的个位上的数字的变化规律.

统计积的末尾有多少个 0,可以这样考虑:因为一个偶数乘 5,积的末尾就有一个 0,参与运算的因数中能分解出若干个因数 2 和 5,一一对应后产生 10,这样积的末尾就产生了连续的零.

在计算时,还要注意 25 中含有 2 个因数 5;125 中含有 3 个因数 5;625 中含有 4 个因数 5.

需要强调的是:积末尾 0 的个数等于因数 2 的个数与因数 5 的个数中较少的那个.

1 $3×3$, $3×3×3$, $3×3×3×3$, $3×3×3×3×3$,积的个位数分别是多少？

解
$$3×3=9$$
$$3×3×3=27$$
$$3×3×3×3=81$$
$$3×3×3×3×3=243$$

认真计算、仔细观察后，发现从两个 3 相乘开始，到多个 3 连乘，积的个位数变化规律是四个数为一个周期：3，9，7，1.

所以 3×3，3×3×3，3×3×3×3，3×3×3×3×3 积的个位数分别是 9，7，1，3.

❷ 24 个 2 连乘，积的个位数是几？

解 从一个 2 开始，到多个 2 连乘，积的个位数的变化规律是四个数为一个周期：2，4，8，6. 因此可以运用周期问题的方法来解答. 24÷4=6，正好有 6 个完整的周期，所以积的个位数是 6.

❸ $\underbrace{9×9×9×\cdots×9×9}_{99个9}$ 的积的个位数是几？

解 从一个 9 开始，到多个 9 连乘，积的个位数的变化规律是两个数为一个周期：9，1.

99÷2=49……1，所以积的个位数是 9.

❹ 15 个 35 连乘的积再减 5，结果的个位数是几？

解 35 的个位数是 5，所以只要观察多个 5 连乘，积的个位数的变化规律就行了.

仔细观察，认真计算后发现，无论多少个 5 连乘，积的个位数始终是 5，5-5=0，所以结果的个位数是 0.

❺ 18×28×38×…×418-17×27×37×…×317，结果的个位数是几？

解 从一个 8 开始，到多个 8 连乘，积的个位数的变化规律是四个数为一个周期：8，4，2，6. 41÷4=10……1，18×28×38×…×418，积的个位数是 8.

从一个 7 开始，到多个 7 连乘，积的个位数的变化规律也是四个数为一个周期：7，9，3，1. 31÷4=7……3，17×27×37×…×317，积的个位数是 3.

8-3=5，结果的个位数是 5.

❻ 1×2+2×3+3×4+4×5+5×6+6×7+7×8+8×9+9×10，计算结果的个位数是几？

解 将每个乘法算式积的个位数相加：

$2+6+2+0+0+2+6+2+0=20$,计算结果的个位数是 0.

7 $1×2×3×\cdots×18×19×20$,积的末尾有多少个连续的 0?

解 因为一个偶数乘 5,积的末尾就有一个 0. 在 1~20 中 2 的倍数比 5 的倍数多,因此只要看因素 5 的个数. 因为 5、10、15、20 这四个数中含有 4 个因数 5,所以积的末尾有 4 个连续的 0.

8 $1×2×3×\cdots×298×299×300$,积的末尾有多少个连续的零?

解 在 1~300 中 2 的倍数比 5 的倍数多,所以解题的关键是正确算出这组算式中含有 5 的因数有几个. 在计算时,容易遗漏的数有 25(含有 2 个因数 5)、125(含有 3 个因数 5)、625(含有 4 个因数 5)等.

$300÷5=60$,$300÷25=12$,$300÷125=2\cdots\cdots50$,$60+12+2=74$.

答: 积的末尾有 74 个连续的 0.

9 把正整数从 1 开始作连乘,即 $1×2×3×4×\cdots$,当乘到多少时,乘积的最后 10 位数字第一次全为 0?

解 $45÷5=9$,$45÷25=1\cdots\cdots20$,$9+1=10$.

答: 乘到 45 时,乘积的最后 10 位数字第一次全为 0.

10 $200×201×202×\cdots×498×499×500$,积的末尾有多少个连续 0?

解 (1) 先算出从 1 乘到 500 积的末尾有多少个 0.

$500÷5=100$,$500÷25=20$,$500÷125=4$,$100+20+4=124$.

(2) 再算出从 1 乘到 199 积的末尾有多少个 0.

$$199÷5=39\cdots\cdots4,\quad 199÷25=7\cdots\cdots24,$$

$$199÷125=1\cdots\cdots74,\quad 39+7+1=47,$$

(3) $124-47=77$.

答: 积的末尾有 77 个连续 0.

专题 **3**

按 规 律 填 数

找规律填数这类数学问题大致可分为两类：

一、给出一列数，填出这列数末尾的几个数或中间的几个数；

二、给出几组数，每组数之间有一定规律，要求根据规律填空缺的数.

方法技巧：

一、找一列数的变化规律，要先看是按从小到大（或从大到小）排列，分别增加（减少）几、乘（除以）几，按照找到的规律接下去就可以填数了. 有的题要求找出相邻两个数之间的差的变化规律.

二、较复杂的一串数，从整体上看，它既不是按从小到大，也不是按从大到小的规律排列的，而是呈时大时小的形式排列，这时，我们可以把前面几个数连起来思考，如把前两个数和第三个数相比较；有的题要隔一个数看，找出单数位上数的变化规律和双数位上数的变化规律.

三、对于给出几组数的题目，要注意发现每组数之间的规律，灵活对待. 找出规律后，还要注意利用已知数来检验发现的规律是否正确.

1 找一找下面两组数列的规律，在括号内填上合适的数.

(1) 1, 3, 5, 7, 9, (   ), (   );

(2) 19, 17, 15, 13, 11, (   ), (   ).

解 (1) 这组数是从小到大排列的，后面一个数总比它前面一个数多2，即 1, 3, 5, 7, 9, (11), (13)（各相邻两数间 +2）. 根据这一规律，括号内应填11，13.

(2) 这组数是从大到小排列的，后面一个数总比它前面一个数少2，即 19, 17, 15, 13, 11, (9), (7)（各相邻两数间 −2）. 根据这一规律，括号内应填 9, 7.

❷ 找一找下面两组数列的规律,在括号内填上合适的数.

(1) 1, 3, 9, (　　　);

(2) 16, 8, 4, (　　　).

解 (1) 这组数是从小到大排列的,后面一个数是它前面一个数的 3 倍,即 $\underset{\times 3\ \ \times 3\ \ \times 3}{1,\ 3,\ 9,\ (27)}$. 根据这一规律,括号内应填 27.

(2) 这组数是从大到小排列的,后面一个数是它前面一个数的一半,即 $\underset{\div 2\ \ \div 2\ \ \div 2}{16,\ 8,\ 4,\ (2)}$. 根据这一规律,括号内应填 2.

❸ 找一找这组数的排列规律,并在括号内填上合适的数.

$$1,\ 1,\ 2,\ 3,\ 5,\ 8,\ (\qquad),\ (\qquad).$$

解 在这组数中,第一、二两个数相加等于第三个数($1+1=2$),第二、三两个数相加等于第四个数($1+2=3$),第三、四两个数相加等于第五个数($2+3=5$)……也就是说,从第三个数起,后面的数等于它前面的两个数的和,这就是规律. 根据这一规律,第七个数是 $5+8=13$,第八个数是 $8+13=21$,所以括号内应填 13, 21.

❹ 找规律填数.

$$1,\ 2,\ 4,\ 7,\ 11,\ (\qquad),\ (\qquad),\ 29.$$

解 在这一组数中,第一个数增加 1 是第二个数,第二个数增加 2 是第三个数,第三个数增加 3 是第四个数……即 $\underset{+1\ \ +2\ \ +3\ \ +4\ \ +5\ \ \ \ \ +6\ \ \ \ \ +7}{1,\ 2,\ 4,\ 7,\ 11,\ (16),\ (22),\ 29}$. 根据这一规律,括号内应填 16, 22. ($22+7=29$,规律找对了)

❺ 找规律填数.

$$1,\ 2,\ 3,\ 6,\ 7,\ (\qquad),\ (\qquad).$$

解 在这组数中,第一个数乘 2 等于第二个数,第二个数加 1 等于第三个数;第三个数乘 2 等于第四个数,第四个数加 1 等于第

五个数,即

$$1, 2, 3, 6, 7, (14), (15).$$
$$\underset{\times 2}{\quad}\underset{+1}{\quad}\underset{\times 2}{\quad}\underset{+1}{\quad}\underset{\times 2}{\quad}\underset{+1}{\quad}$$

根据先乘 2 再加 1 的规律,括号内应填 14,15.

6 找规律填数.

$$15, 4, 12, 4, 9, 4, (\quad), (\quad).$$

解 从整体上看,这组数时而大、时而小,仔细观察就会发现:在这组数中,排在第一、三、五位置的数按每次减少 3 的规律变化,而排在第二、四、六位置的数始终不变,都是 4. 所以,可以将这一个数列单数位置上的数和双数位置上的数分开观察,即

$$15, (4), 12, (4), 9, (4), (6), (4).$$
$$\underset{-3}{\quad}\quad\underset{-3}{\quad}\quad\underset{-3}{\quad}$$

括号内应填 6,4.

7 如图,找规律,在图中"?"处填出空缺的数.

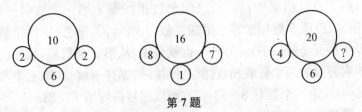

第 7 题

解 一组一组地看,可以发现 2+6+2=10,8+1+7=16,即大圆周围三个小圆里的数的和就是大圆里的数,这就是规律. 根据这一规律:4+6+( )=20,括号里应填 10.

8 如图 1,你能找出规律,在括号内填上合适的数吗?

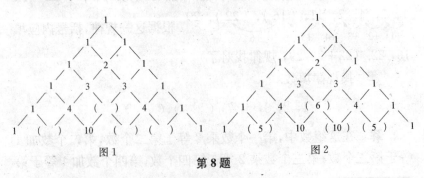

图 1   图 2

第 8 题

解 从图 1 中可以看出,每个数都是它两肩膀上的数之和.根据这一规律,第五行括号里应填 6(3+3=6),第六行左边的括号里应填 5(1+4=5),中间的括号里应填 10(6+4=10),右边的括号里应填 5(4+1=5),即如图 2 所示.

9 如图,你能找出规律,在"?"处填上合适的数吗?

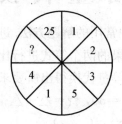

第 9 题

解 1 和对应的 1 之间可认为是 $1×1=1$,2 和对应的 4 之间可认为是 $2×2=4$,5 和对应的 25 之间可认为是 $5×5=25$,所以"?"处应填 9($3×3=9$).

10 如图 1,根据前两个三角形里的三个数,想一想,在第三个三角形的"?"处应填什么数?

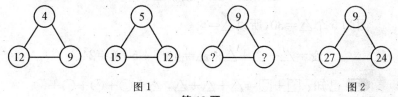

图 1   图 2

第 10 题

解 第三个三角形中只告诉我们顶上的数是 9,因此我们找规律应从顶上的数着手.观察前面两个三角形,发现顶上的数乘 3 得到左下角的数,左下角的数减 3 得到右下角的数.根据这一规律,$9×3=27$,$27-3=24$,第三个三角形的左下角应填 27,右下角应填 24,即如图 2 所示.

等 量 代 换

等量代换是数学中常用的解题方法.进行等量代换时,首先选择简单的、容易求出结果的两个等式进行比较,找出两个未知数量之间的关系后,再通过等量代换得出所要求的答案.

1 已知：☆＋△＝30，☆＝△＋△＋△＋△.

求：△＝( )，☆＝( ).

解 将两个已知的等式编号.

$$☆＋△＝30 \qquad ①$$

$$☆＝△＋△＋△＋△ \qquad ②$$

根据②,将①中的☆用4个△代替得

$$△＋△＋△＋△＋△＝30.$$

因为5个△＝30,所以△＝6.

$$☆＝△＋△＋△＋△＝6＋6＋6＋6＝24.$$

2 已知：□＋□＝△＋△＋△，△＝○＋○＋○＋○.

求：□＝( )个○.

解 将两个已知的等式编号.

$$□＋□＝△＋△＋△ \qquad ①$$

$$△＝○＋○＋○＋○ \qquad ②$$

根据②,将①中的每个△用4个○代替得

$$□＋□＝○＋○＋○＋○＋○＋○＋○＋○＋○＋○＋○＋○$$

因为 2 个 □ ＝12 个 ○,所以 □ ＝6 个 ○.

3 已知:☆＋☆＋△＋△＝20,△＋△＋ ☆＝16.

求:△＝( ),☆＝( ).

解 将两个已知的等式编号.

$$☆＋☆＋△＋△＝20 \qquad ①$$

$$△＋△＋☆＝16 \qquad ②$$

根据②,将①中的☆＋△＋△用 16 代替得☆＋16＝20,则

$$☆＝4 \qquad ③$$

将③代入②,得△＋△＋4＝16, △＝(16－4)÷2＝6,所以

$$△＝6,☆＝4.$$

4 已知:☆＋○＝12,☆＋☆＋☆＋○＋○＝31.

求:☆＝( ),○＝( ).

解 将两个已知的等式编号.

$$☆＋○＝12 \qquad ①$$

$$☆＋☆＋☆＋○＋○＝31 \qquad ②$$

将②代入①得

$$☆＋☆＋☆＋○＋○＝31$$
$$\underbrace{}_{12}\underbrace{}_{12}$$

$$☆＝31－12－12＝7 \qquad ③$$

将③代入①得 7＋○＝12,○＝5. 所以

$$☆＝7,○＝5.$$

5 1 头猪的重量等于 8 只兔子的重量,1 只兔子的重量等于 2 只小公鸡的重量. 那么,1 头猪的重量等于几只小公鸡的重量?

解 "1 头猪的重量等于 8 只兔子的重量,1 只兔子的重量等于 2 只小公鸡的重量",那么 8 只兔子的重量等于 8×2＝16(只)小

公鸡的重量,而1头猪的重量等于8只兔子也就是16只小公鸡的重量.所以1头猪的重量等于16只小公鸡的重量.

6 1头猪可换2只羊,1只羊可换3只兔.那么,3头猪可换多少只兔?

解 "1头猪可换2只羊,1只羊可换3只兔",那么2只羊可换2×3=6(只)兔,而1头猪可换2只羊即可换6只兔,因此3头猪可换3×6=18(只)兔.

7 1只河马的体重等于2只大象的体重,1只大象的体重等于10匹马的体重.1匹马的体重是320千克,那么1只河马的体重是多少千克?

解 1匹马的体重是320千克,10匹马的体重就是320×10=3200(千克),这也就是1只大象的体重.又知1只河马的体重等于2只大象的体重,所以1只河马的体重是

$$2×3200=6400(千克).$$

8 有8盒月饼,每盒的重量都相等.现在从每盒中都取出300克,剩下月饼的总重量正好等于原来2盒的重量.那么原来每盒月饼重多少克?

解 从"剩下月饼的总重量正好等于原来2盒的重量"可知,取出的300×8=2400(克)月饼相当于8-2=6(盒)的重量.所以,2400÷6=400(克)即为原来每盒月饼的重量.

9 妈妈买了6千克土豆和5千克番茄,共花了27元.已知3千克土豆的价格与2千克番茄的价格相等.那么1千克土豆和1千克番茄各多少元?

解 由"3千克土豆的价格与2千克番茄的价格相等"可知,6千克土豆的价格与4千克番茄的价格相等.所以6千克土豆+5千克番茄的总价和4千克番茄+5千克番茄=9千克番茄的总价相等,即6千克土豆的价钱+5千克番茄的价钱=4千克番茄的价钱+5千克番茄的价钱=9千克番茄的价钱=27元.

27元可买9千克番茄,所以1千克番茄的价格为

$$27 \div 9 = 3(元).$$

再由"3千克土豆的价格与2千克番茄的价格相等"可知,1千克土豆的价格为$2 \times 3 \div 3 = 2(元).$

所以1千克土豆的价格为2元,1千克番茄的价格为3元.

⑩ 如果20只兔子可换2只羊,9只羊可换3头猪,8头猪可换2头牛,那么用5头牛可以换回多少只兔子?

解 根据题意,可以得到以下关系式:

	20只兔⇔2只羊	①
	9只羊⇔3头猪	②
	8头猪⇔2头牛	③
由③可得	1头牛⇔4头猪	④
由②可得	1头猪⇔3只羊	⑤
将⑤代入④得	1头牛⇔12只羊	⑥
由①可得	1只羊⇔10只兔	⑦
将⑦代入⑥得	1头牛⇔120只兔	

因为1头牛可换120只兔,5头牛则可换

$$5 \times 120 = 600(只)兔.$$

专题 5

数的交换、分组和拆分

在算式和等式已经给出的情况下,要求把给定的几个数或运算符号合理填入,使算式或等式满足某种规定的条件或者将一个数按某种规定拆分为若干个算式或等式.只有灵活运用所学知识,仔细观察、合理估算、大胆尝试、寻找规律,才能享受成功的喜悦.

(一) 交换一个数,使算式相等或小于某数.

1 交换一个数使两个算式的和都等于 18.

$$
\begin{array}{cc}
& 9 \qquad\qquad 7 \\
(左) & 5 \qquad\quad 4\,(右) \\
& +\ 6 \qquad\quad +\ 5 \\
\end{array}
$$

解 左=9+5+6=20,右=7+4+5=16,左边算式中减 2,右边算式中加 2,就可以使两个算式的和都等于 18.所以找相差 2 的两个数(且左边的数大)对调,即左边的 9 与右边的 7 对调或者左边的 6 与右边的 4 对调.

方法一:

$$
\begin{array}{cc}
9 \longrightarrow 7 \\
(左)\ 5 \qquad\qquad 4\,(右) \\
+\ 6 \qquad +\ 5 \\
\hline
20 \qquad\quad 16
\end{array}
\Rightarrow
\begin{array}{cc}
7 \qquad\qquad 9 \\
(左)\ 5 \qquad\qquad 4\,(右) \\
+\ 6 \qquad +\ 5 \\
\hline
18 \qquad\quad 18
\end{array}
$$

方法二:

$$
\begin{array}{cc}
9 \qquad\qquad 7 \\
(左)\ 5 \qquad\qquad 4\,(右) \\
+\ 6 \qquad +\ 5 \\
\hline
20 \qquad\quad 16
\end{array}
\Rightarrow
\begin{array}{cc}
9 \qquad\qquad 7 \\
(左)\ 5 \qquad\qquad 6\,(右) \\
+\ 4 \qquad +\ 5 \\
\hline
18 \qquad\quad 18
\end{array}
$$

2 每个算式只调动一个数,使三个算式的和都等于20.

$$
\begin{array}{ccc}
9 & 5 & 4 \\
(左)\ 6 & (中)\ 8 & 9\ (右) \\
+\ 7 & +\ 6 & +\ 6
\end{array}
$$

解 先将左、中、右三式的和分别计算出来,它们是22、19、19.中式和右式只要再加1就等于20了,而左式=22,比20恰好多2,设法分给中式和右式各1,就都等于20了.

方法一:

方法二:

3 每个算式只调动一个数,使三个算式的和都小于19.

$$
\begin{array}{ccc}
3 & 4 & 9 \\
(左)\ 8 & (中)\ 7 & 6\ (右) \\
+\ 5 & +\ 6 & +\ 5
\end{array}
$$

解 先将左、中、右三式的和分别计算出来,它们是16、17、20.只有右式大于19,右式至少减2,才能小于19.设法分给左式和中式各1,就都小于19了.

方法一:

方法二：

$$\begin{array}{ccc} 3 & 4 \textcircled{1} & 9 \\ (\text{左})\ 8 & \textcircled{2}(\text{中})\ 7 & 6(\text{右}) \\ +\ 5 & +\ 6 & +\ 5 \\ \hline 16 & 17 & 20 \end{array} \Rightarrow \begin{array}{ccc} 3 & 5 & 9 \\ (\text{左})\ 8 & (\text{中})\ 7 & 4(\text{右}) \\ +\ 6 & +\ 6 & +\ 5 \\ \hline 17 & 18 & 18 \end{array}$$

（二）将给定的数或运算符号填入算式或等式中,并满足一定条件.

❹ 把 1, 2, 3, 4, 5, 6, 7, 8 这 8 个数按要求填入下面算式的圆圈中,使等式成立.(一个数只能用一次,且必须用一次)

$$\bigcirc+\bigcirc-\bigcirc=\bigcirc$$
$$\bigcirc+\bigcirc-\bigcirc=\bigcirc$$

解 把 8 个数分成 2 组,每组 4 个数.每组中两个数的和等于另外两个数的和.由于所给的 8 个数是连续的 8 个数,可以很容易地分成这样的两组:(1, 2, 3, 4)、(5, 6, 7, 8),于是得到一个解是

$$\textcircled{1}+\textcircled{4}-\textcircled{2}=\textcircled{3}$$
$$\textcircled{5}+\textcircled{8}-\textcircled{6}=\textcircled{7}$$

当然,此题还有多种不同的填法,有兴趣的小朋友可以试一试.

❺ 在合适的地方填写"＋"或"－",使等式成立.

$$1\ \ 2\ \ 3\ \ 4\ \ 5\ \ 6=1$$

解 把六个数分组,试加会发现:$1+2+3+5=11$,$4+6=10$,这样在 4、6 的前面填上"－",其他地方填上"＋",等式成立.即

$$1+2+3-4+5-6=1$$

❻ 将 0, 1, 2, 3, 4, 5, 6 这 7 个数字填入下列只有一、两位数的算式中,使等式成立.

$$\bigcirc \times \bigcirc. = \bigcirc = \bigcirc \div \bigcirc$$

解 要将 0～6 共 7 个数字填入 5 个"○"中,必有两个"○"里填的是两位数,又因为 0 与任何数相乘都得 0,0 除以任何不是 0 的数都得 0,所以 0 必然和其他数字组成两位数.而且两位数也只能填在中间的"○"里和被除数的"○"里.经试算,得

$$③ \times ④ = ⑫ = ⑥⓪ \div ⑤$$

7 把 0,1,2,3,4,5,6,7,8,9 这 10 个数字填入下列□中,使三个等式成立.

$$□ + □ = □ \qquad □ - □ = □ \qquad □ \times □ = □□$$

解 在 0～9 这 10 个数字中,0 是一个特殊的数,它不可能出现在第一、二两个式子中,因为一个数加 0 仍得这个数,一个数减去 0,仍得这个数;0 也不可能出现在第三个式子等号的左边,因为任何数乘 0 都得 0.所以这个 0 只能出现在第三个式子等号右边的个位上.两个一位数相乘,得到一个整十数,由此可推断,第三个式子左边两个因数中必有一个是 5,这样第三个式子可能是:$5 \times 2 = 10, 5 \times 4 = 20, 5 \times 6 = 30, 5 \times 8 = 40$.经试算,得到以下解:

$$③ + ⑥ = ⑨ \qquad ⑧ - ① = ⑦ \qquad ⑤ \times ④ = ②⓪$$

(三) 拆数.

8 将 12 拆成三个不为零的数,共有多少种不同的拆法?

解 对于这道题,可以从拆得三个数中最大的数是 10 开始,依次减小,直到结束.

(1) 最大数为 10,只有 1 种:$12 = 10 + 1 + 1$;

(2) 最大数为 9,也只有 1 种:$12 = 9 + 2 + 1$;

(3) 最大数为 8,有 2 种:$12 = 8 + 3 + 1, 12 = 8 + 2 + 2$;

(4) 最大数为 7,有 2 种:$12 = 7 + 4 + 1, 12 = 7 + 3 + 2$;

(5) 最大数为 6,有 3 种:$12 = 6 + 5 + 1, 12 = 6 + 4 + 2,$
$$12 = 6 + 3 + 3;$$

（6）最大数为 5，有 2 种：$12=5+5+2,12=5+4+3$；

（7）最大数为 4，只有 1 种：$12=4+4+4$.

将上面的拆法加起来，共有 12 种不同的拆法.

9 将 10 分拆成三个不相同的数（0 除外），共有多少种不同的拆法？

解 分拆时从最大的数开始，依次减小，注意三个数都不能相同.

$$10=7+2+1=6+3+1=5+4+1=5+2+3,$$

共有 4 种不同的拆法.

❿ 如图，小于和小乐做打靶游戏，他俩每人打了两发子弹，小于共打中 6 环，小乐共打中 5 环. 又知没有两发子弹打到同一环带内，并且弹无虚发. 你知道小于和小乐各打中哪几环吗？

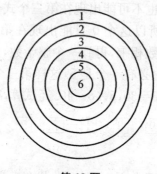

第 10 题

解 已知小于两发子弹共打中 6 环，要求每次打中的环数，可将 6 分拆：$6=1+5=2+4$；

小乐两发子弹共打中 5 环，可将 5 分拆：$5=1+4=2+3$.

又由于"没有两发子弹打到同一环带内并且弹无虚发"，只可能是：小于打中的是 1 环和 5 环，小乐打中的是 2 环和 3 环.

必 胜 策 略

"几个球排成一排,按一定的规则取球,规定谁取到某个球谁就是胜利者."你玩过这样的游戏吗?

要取得胜利,得从两个方面进行考虑:(一)谁先拿,拿多少?(二)自己拿的个数和对方拿的个数合起来是几?

1 10个球排成一排,小菲和琳琳一起玩抢球游戏.游戏的规则是:每次只能取1个球,谁取到最后一个球谁就获胜,两人轮流按顺序取,不允许不取.小菲想取得胜利,是先取还是后取?为什么?

解 不妨对先取还是后取这两种情况进行讨论:

(1) 如果先取:(打"√"的表示小菲取的球)

我们发现,最后一个球小菲是取不到的.

(2) 如果后取:

我们发现,小菲取得了最后一个球,获胜.

所以,小菲想取得胜利,就要后取球.

2 有两个小盒子,第1个盒子里装有1枚棋子,第2个盒子里装有2枚棋子,甲、乙两人轮流从盒中取棋子,可以取1枚,也可以取2枚,但每次必须取的是同一盒中的,谁取到最后一枚谁为胜.甲想获胜,应先取还是后取,怎么取?

解　如果先取者取第1个盒子里的1枚棋子,那么后取者必然将第2个盒子里的2枚棋子都取走,这样最后1枚棋子将被后取者获得;

如果先取者取第2个盒子里的2枚棋子,那么后取者必然取第1个盒子里的1枚棋子,这样最后1枚棋子也将被后取者获得.

从上面分析中,我们可以看出:不能将其中一个盒子里的棋子取空,否则,后取者可以将另一个盒子里的棋子取空,由此得到最后一枚棋子,后取者将会取得胜利.也就是说,当我们取完后,两个盒子里都要有1枚棋子,这样,对方不得不取其中1个盒子里的1枚棋子,而另一个盒子里的最后1枚棋子将被胜利者取到.

如何造成取完后每个盒子均剩1枚棋子的状况呢? 看来,只有先取装有2枚棋子的盒子中的1枚棋子,对方只能而且必然取某个盒子中的1枚棋子,先取者再取最后1枚棋子,取得胜利.

所以,甲想获胜,应先在装有2枚棋子的盒子中取1枚.

③ 有6盆花摆成一排,亮亮和小安轮流取.每次可取1盆或2盆(不允许不取),谁取到最后一盆谁就赢.亮亮想获胜,先取还是后取? 如何取?

解　(1) 6盆花数量较多,我们可以从3盆花开始讨论.如果只有3盆,那么后取者胜.因为如果先取者取第1盆,后取者就取第2盆和第3盆,最后1盆(第3盆)被后取者取走,后取者胜;如果先取者取了2盆,后取者就取剩下的1盆,仍然是后取者胜.

(2) 现在再来考虑6盆花.把这6盆花分成两个3盆,前3盆后取者能获胜,后3盆后取者能用同样的方法获胜.(只要每一次取花时,后取者取的盆数和先取者取的盆数合起来是3盆即可)

(3) 因此,亮亮想要取胜,必须做到两点:

① 让小安先取;

② 自己取的盆数和小安取的盆数合起来是3盆.

示意图如下:

在第1～第3盆的拿取过程中：

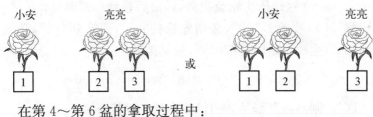

在第4～第6盆的拿取过程中：

4 小西和小包一起做数学游戏,他们把18枚棋子放在桌上,排成一列,然后轮流拿,每人每次只能拿1枚或者2枚,谁拿到最后1枚谁就是胜者.小包想获胜,你能帮他想出必胜策略吗?

解 先把这18枚棋子画出来并编号:

$$\underset{1\ 2\ 3}{\bigcirc\bigcirc\bigcirc}\Big|\underset{4\ 5\ 6}{\bigcirc\bigcirc\bigcirc}\Big|\underset{7\ 8\ 9}{\bigcirc\bigcirc\bigcirc}\Big|\underset{10\ 11\ 12}{\bigcirc\bigcirc\bigcirc}\Big|\underset{13\ 14\ 15}{\bigcirc\bigcirc\bigcirc}\Big|\underset{16\ 17\ 18}{\bigcirc\bigcirc\bigcirc}$$

因为每人每次只能拿1枚或者2枚,所以只要小西先拿,小包就一定能拿到第3枚,即小西拿1枚,小包就拿2枚;小西拿2枚,小包就拿1枚.

只要小包抢到3,6,9,12,15,18这些"制高点",小包就能获胜.

所以,对于小包来讲,必胜的策略有两条:

① 必须让对方(小西)先拿;

② 自己拿的枚数必须和对方拿的枚数合起来是3.

5 抢"30"游戏.

人数:两人

规则:① 先由一个人从1开始报一个或连续两个数.

② 第二个人接下去再报一个或连续两个数.

③ 这样依次轮流报数,谁最后报到"30"谁就赢.

解 (1) 要抢到"30",必须先抢到"27";要抢到"27",必须先抢到"24",这样不断向前推可知,只要抢到

$$3,\ 6,\ 9,\ 12,\ 15,\ 18,\ 21,\ 24,\ 27,\ 30$$

这些"制高点"(都是 3 的倍数),就一定能获胜.

(2) 为了抢到"制高点",必须后报数.别人报 1 个数,你就报 2 个数;别人报 2 个数,你就报 1 个数;只要每次报数的总个数都是 "3",后报者一定能抢到"30",取得游戏的胜利.

6 抢"40"游戏.

人数:两人

规则:① 先由一个人从 1 开始报一个或连续两个数.

② 第二个人接下去再报一个或连续两个数.

③ 这样依次轮流报数,谁最后报到"40"谁就赢.

解 (1) 抢"30"3 个数一组正好分完,而抢"40",

$$40÷3=13(组)\cdots\cdots1(个)$$

3 个数一组还余 1 个数.想取得胜利的人只要把这个余数报出后,就有了必胜的把握:你报 2 个数,我报 1 个数;你报 1 个数,我就报 2 个数,每次的总和都是 3 个数,我就获胜了.

(2) 如图所示,只要抢到

1, 4, 7, 10, 13, 16, 19, 22, 25, 28, 31, 34, 37, 40

这些"制高点",就能取得胜利.

①	2	3	④	5	6	⑦	8	9	⑩
	11	12	⑬	14	15	⑯	17	18	⑲
	20	21	㉒	23	24	㉕	26	27	㉘
	29	30	㉛	32	33	㉞	35	36	㊲
	38	39	㊵						

（3）所以,抢"40"游戏的必胜策略是:

　　① 先报 1.(40÷3 的余数为 1,先报 1 个数)

　　② 再报的数只要和对方报的数合起来是 3 个数就行了.

7 抢"30"游戏.

人数:两人

规则:① 先由一个人从 1 开始报 1 或连续 2、3 个数.

　　　② 第二个人接下去再报 1 或连续 2、3 个数.

　　　③ 这样依次轮流报数,谁最后报到"30"谁就赢.

解 虽然仍然是抢"30"游戏,但是规则改变了,现在每人最少报 1 个,最多报 3 个,所以每次两人报数的总个数是 1+3=4(个).如果你报一个数,我就报 3 个数;你报 2 个数,我也报 2 个数;你报 3 个数,我就只报 1 个数……即每次两人合起来报 4 个数.因为

$$30÷4=7(组)……2(个),$$

所以,这个抢"30"游戏的必胜策略是:

　　① 先报 2 个数:1、2.

　　② 再报的数只要和对方报的数合起来是 4 个数就行了.

8 辰辰和小文一起做游戏.他们一共写了 23 张数字卡片,规定两人轮流拿卡片,每次每人可以拿 1 张、2 张或 3 张,谁拿到最后一张数字卡片就算赢.如果辰辰想赢,应该先拿还是后拿?怎么拿呢?

解 辰辰要赢,应该先拿.

$$1+3=4(张), 23÷4=5(次)……3(张),$$

辰辰第一次先拿 3 张,然后每次拿的张数和小文拿的张数和是 4,就可以拿到最后一张数字卡片.

9 桌上放着一堆糖共 30 颗,由甲、乙两人轮流拿,每人每次拿 1 颗、2 颗或 3 颗,拿到最后一颗的人输.如果甲想赢,是先拿还是后拿?怎么拿?

解 因拿到最后一颗的人输,那么甲一定要设法拿到第 29

颗,这样,乙拿第30颗就输了.由

$$29 \div (1+3) = 7(次) \cdots\cdots 1(颗),$$

所以甲一定要先拿1颗.

随后如果乙拿1颗、甲就拿3颗;如果乙拿2颗,甲就拿2颗;如果乙拿3颗,甲就拿1颗.只要甲、乙每次合起来拿4颗,甲就一定能拿到第29颗而获胜.

❿ 黑板上有两行字,甲、乙两人轮流擦,规定一次只能在其中的一行里擦,擦几个字不限,擦最后一个字的人获胜.你有必胜策略吗?

解 如果两行字同样多,甲先擦几个,乙在另一行也跟着擦几个,乙获胜;

如果两行字的字数不是同样多,若甲先擦较多的一行,使剩下的字数与较少的一行字数同样多,然后乙擦几个,甲就在另一行擦几个,甲就能获胜.

华东师范大学出版社

小学生课外读物

📖 《数学奥林匹克小丛书·小学卷》（4种）

《巧解应用题》/单 增 张玉香 著

　　本书侧重于非传统的应用题，它不是照搬固定的模式就能解决的，因而有助于开拓学生的眼界，发展他们的创造能力。本书分为上下两篇。上篇"仙人的手指"，以介绍解题方法为主。下篇"形形色色的问题"，侧重于对具体题目的分析。最后还有三十多道习题及其解答。

《整数问题》/邬舒竹 编著

　　本书主要研究小学数学中的整数问题，基本涵盖了各级各类小学数学竞赛中整数问题的类型和常用方法。力图从历史文化、问题背景、思想方法、方法来源四个方面展示问题和问题的解决。本书编写的特点在于突出"过程"与"联系"，着力点在于问题的"发生"与"发展"。同时注意到深入浅出、图文并茂。本书特别适合小学中、高年级学有余力的学生自学，也可作为各级各类小学数学竞赛的培训教材，以及小学数学教师教学科研的参考。

《图形问题》/熊 斌 周洁婴 编著

　　图形问题对小学生来说是非常直观和有趣的，然而又是数学中的一个难点。本书介绍了小学数学竞赛中常见的图形问题的基本知识、解题方法和技巧，通过对一些有趣的、新颖别致的例题和习题的讲解，拓宽学生的视野，培养学生灵活运用知识的能力，提高思考问题和解决问题的能力。

《巧算、字谜与逻辑问题》/胡大同 编著

　　本书内容包括三个方面：巧算、字谜、逻辑推理。这些内容在小学的课外活动和数学竞赛中经常出现。它的基础源于课本，包括四则运算的定义、法则、性质和最基本的推理方法。但作为课外活动则是在课本知识的基础上着重于这些知识的灵活应用，着重于计算能力和推理能力在技巧方面的拓展和提高。总之，着重于思维能力的提高。

📖 《多功能题典·小学数学竞赛》　　　　　　　　朱华伟　编著

这是一本可以查的题典,进入 http://tidian.ecnupress.com.cn 网站,就像使用 Google 和百度一样方便。

📖 《数学思维训练导引》（三年级～六年级）　　徐鸣皋　主编

这是一套少年儿童数学智优教育的典范教材,被指定为全国华罗庚数学竞赛推荐教材。作者团队年轻而强大,他们曾在各层次的数学竞赛中取得优异成绩,有些甚至是国际数学奥林匹克的金牌得主。

📖 《优等生数学》（一年级～六年级）

这是一套适应面更广的优等生读物,大约是针对数学学习成绩前面 20％的那部分. 各册分 72 个专题,每一专题设"经典例题"、"解题策略"、"画龙点睛"、"举一反三"、"融会贯通"5 个栏目. 作者均为智优生教育专家.

以上图书各大新华书店有售(可向当地书店订购). 邮购者可与华东师大出版社读者服务部联系(地址:200062,上海中山北路 3663 号;电话:021－62869887),邮挂费为书价的 10％.